思考を鍛える

# 大学の学び入門

## 論理的な考え方・書き方からキャリアデザインまで

Establish Academic Cornerstone
How to learn & Create Your Own Career Development Plan

井下千以子

慶應義塾大学出版会

# 本書の目的

この本は、大学で学び始める高校生や大学生が、**大学での基本的な学び方を身につけ、自分の将来について探究するための礎（いしずえ）をしっかり作ること**を目的としています。

高校までの勉強は、時間割が決まっていて、知識を憶（おぼ）えることが中心でした。大学での学習では「……を学びたい」「……ができるようになりたい」と**自分で考え、主体的に学習すること（アクティブラーニング）**や**探究学習**が求められます。主体的に学ぶためには、「自分はこれから、何をしていきたいのか」「将来どうありたいのか」を考え、大学生活やさまざまな授業を、**自分に意味があるように関連づけ、自分でデザインする**ことが必要です。

すでに、こんな資格を取りたい、卒業後はこんな職業につきたいと目標を決めている人でも、自分が専攻する分野の勉強だけでなく、**多様な体験を通して視野を広げ**、自分がめざそうとしていることは何かを**深く考え抜く経験**や、**テーマを見つけて探究する学習**、**根拠を示して論理的に考えを書く鍛錬**も大切です。

一方で、自分がやりたいと思っていたことと現実にズレが生じ、挫折することもあるかもしれません。自分が本当にやりたいことを見つけていくことは簡単ではありませんが、**回り道は、人を育て、人生を豊かにしてくれます。**

まずは「自分を知る、学び方を知る」ことから始めましょう。

**学び方がわかると、論理的に考えることができるだけでなく、発想が豊かになり、多様な視点から物事を深くとらえられる**ようになります。

学びの先には何があるのか、将来どんな自分でありたいのか、何をしたいか、先を見通す力をつけ、「大学での学びの礎（いしずえ）」を築いていきましょう。

大学時代は人生における貴重な学びの時間です。**出会いを大切**に充実した時を過ごし、**自信を持って未来を描き、困難な問題にも対応できる力強さとしなやかさ**を身につけ、社会へ、世界へと羽ばたいていってほしいと願っています。

著　者

# 目 次

## 効果的に学びたい方へ

### ◉いますぐに必要なことからやりたい

・いま必要なこと、興味があることを選択して学ぶことができます。

### ◉論理的に考えられるようになりたい

・すべての章に論理的に考えるトレーニングの要素が詰まっています。

・情報の整理と情報を組み立てる手法としてKJ法を学びます。：**第2、4章**

・KJ法は、**論理的なレポート**を書くため、資料の整理にも役立ちます。

### ◉レポートの書き方の基本を身につけたい：第3章

・初心者でも**基本フォーマット**（pp. 48-49）を用いてスラスラ書くことができます。

・**見本レポート**（pp. 60-63）と**自己点検評価シート**（**ルーブリック** pp. 64-65）を見ると、具体的にどう書けばよいかが一目でわかります。

### ◉見通しを持って、履修計画ができるようになりたい：第4章

・自分が所属している**学部（学群）の魅力**を理解し、自分で**アカデミックプランニング・エッセイ**を書きます。

### ◉大学生活の過ごし方や将来が不安。どう考えればいいか知りたい：第5章

・就活の事例から何を大切にすればいいか、論理的に考えることができます。

### ◉アクティブラーニング（AL）で学びを深めたい

・ALの3要素「書く・話す・発表する」活動が、すべての学習に盛り込まれ、楽しく学びあい、学びを深めることができます。

### ◉巻末のワークシートを使って、学習効果を上げることができます。

◉**本書を用いた指導法**を慶應義塾大学出版会ホームページにアップしました。使いやすく、学びを深める指導法を提案していきます。
URL:www.keio-up.co.jp/hp/isbn/9784766426519

# 学問の世界へようこそ

# 1　学問の扉

## ◉ 学問の世界へようこそ！

大学生になったみなさんの前には、学問の世界が広がっています。

学問の世界とは、先人たちが築き上げてきた智恵が凝縮された、新たな学びの世界です。大学ではどんなことが学べるのか。自分は何に関心があるのか。様々な学びがあることを知る。そこから、大学での学習が始まります。学問の世界には、経験したことのない新しい感動があります。

みなさんは、学問の世界の入り口に立ったところです。

さあ、力強く、学問の扉を開いてください。

## ◉ 知の創造の体験、知の冒険を楽しもう

まずは、先人たちの知識や叡智（えいち）に学びます。そして「新しい知」を自分で創っていくのです。そこには、発見があり、驚きがあり、感動があります。扉の向こうには、「知の冒険」の世界が広がっています。少し難しいこともあるけれど、だからこそおもしろいのです。深く考えることの楽しさ、「知の冒険」を大学で思う存分楽しんでください。

## ◉ 学問の扉は“問い”

みなさんは不思議に思ったり、問題だと思ったりしたことはありませんか。様々な問いを思い浮かべてみてください。

「なぜ、人は考えることができるのか？」

「チョウはなぜ飛ぶのか？」

**学問は「問うて学ぶもの」。扉の鍵は「問い」。問いによって開きます。**問いがなければ学問へと発展しません。学問の世界では**「知識は教わるもの」**ではなく**「知識は自分で創っていくもの」**なのです。

そこには発見や驚きがあり、新しい知の創造を体験することができます。学問との出会いは、きっと大きな感動をもたらしてくれるでしょう。

### ◉ なぜ、人は考えることができるのか？

私は小学生の頃から「なぜ、人は考えることができるのだろう？」「頭の中はどうなっているのだろう？」と、とても不思議に思っていました。小学3年生の国語の授業で、その問いを「あたまの金庫」という詩にしました。「人間は考えることができる。考えたことを貯めておくこともできる。貯めていたものを取り出して使うこともできる。だから、人間のあたまは金庫のようだ」と書きました。先生は「あたまを金庫だと思ったの。すごいね」と言って、学校の文集に載せてくださいました。

大学生になり、その発想は記憶貯蔵庫モデルの最も基本的な形であるノーマンの研究[(1)]と似ていることを心理学の授業で知りました。その後発達心理学のゼミに入り、卒業論文は「思考の発達過程に関する研究 —— Piaget, Bruner, Kendler の理論に基づく実験的検討」でした。

卒論のテーマがきっちりと決定するまでには時間がかかりました。「思考の発達」をテーマにしようと思って、発達心理学のゼミに入ったのですが、実際、どう研究したらいいのか、まるで考えていなかったからです。毎週、ゼミで進捗状況を報告することになっていましたが、先生は「まだ考えが足りないね」とか「1週間でそれしか調べられなかったの？」とか言うだけで、具体的な指示はまったくありませんでした。

そこで当時の私は、体系的にまとめられている概論書を読むことから始めました。試行錯誤して時間はかかりましたが、**理論を体系的に勉強しなければ、研究計画を立て、論文を書くことはできなかったでしょう。**

また、素朴な疑問から出発して、仮説を立て、実験を実施し、データを分析して論文にまとめるプロセスは、自分の**思考を鍛える**という大きな意味がありました。こうして私は今でも「思考」というテーマを大切にしています。研究する意義があると思っているからです。

---

(1) Waugh, N. C. & Norman, D. A. (1965) Primary Memory. *Psychological Review*, 72, 89-104.

## ◉ チョウはなぜ飛ぶのか？

動物行動学者の日高敏隆さんは、幼い頃から昆虫が好きでした。

日高さんのエッセイから、問いをあたためるとはどういうことなのかを考えてみましょう。日高さんは『世界を、こんなふうに見てごらん』[2]で**「「なぜ」をあたためつづけよう」と、問いを持つことの重要性を説いています。**

「僕はチョウをいろいろ研究したが、はじめから学問の対象として見ていたのではないと思う。チョウには蝶道（ちょうどう）があって決まったところを飛ぶ。たとえばクロアゲハは、もっと低いところを飛んでいてくれたら捕りやすいのに、どうして高い木の梢（こずえ）あたりしか飛ばないのか。子どものときからずっと疑問だった。じゃあ、いったいどういうところを飛ぶのか。」

日高さんは、動物をあたたかな目で見て、「チョウはなぜ、そういうふうに飛ぶのか」と問い続けました。それが動物行動学者としての原点でした。

「もしかしたら彼らはミカン科の木の葉っぱに卵を産んで（そこで）成虫になるから、花畑よりも木の梢のほうを飛んでいる雌が多いのではないか。雄はそこで雌にあうのではないか。というぐあいに説明がついてくる。仮説を立てて、実際に調べてみる。具体的なことがわかってくると、だんだん一般にあてはまる理屈が見えてくる。」

さらに、日高さんは次のように語りかけています。

「科学を志す人には、なぜということしかない。おおいに「なぜ」に取り組めばいい。自分の「なぜ」をあたため続ければいいと思う。」

---

(2) 日高敏隆（2013）『世界を、こんなふうに見てごらん』集英社文庫.

「こうなのではないかな」と思って調べていくと、具体的なことがわかってきます。それを整理していくと、思考の道筋が見えてきて、わくわくし、学ぶことが楽しいと感じるようになります。

### ◉ 学問の思考法を学び、将来につなげて考える力をつける

本書では、**「問いを立てる、調べる、集めた情報を分析する、議論する、論理を組み立てる、書く、発表する」**という一連の**学問の思考法**（**ディシプリン**：discipline）を学んでいきましょう。ディシプリンには、「しつけ・訓練」という意味のほかに、**学問分野、思考様式**という意味があります。学生時代に学問の思考様式をきっちり身につけた人は、正解のない混沌とした問題にも立ち向かっていくことができます。

でも、最初から肩に力を入れなくても大丈夫！　まず、自分はいま何に関心があるかを考えてみることから始めましょう。**自分が興味を感じていることや素朴な疑問を大切に育てていく**ことで、自分は何をおもしろいと思うのか、何をしているときが充実していると感じるのかがわかってきます。それがすぐにあるいは直接的に将来の仕事に結びつくとは限りませんが、自分がこれからやりたいと思うことが少しずつ見えるようになっていきます。

**【Work 1】①問いを立てて考える**（➡ p.115）

不思議だな、問題だなと思うことを「なぜ、……なのか」という問いの形式で考えてみましょう。さらに、その理由についても「なぜならば、……」と書いてください。社会的問題や学問的問いであれば、問題の背景や根拠、あるいは不思議だなと素朴に感じる理由について考えてみましょう。

難しい問題ではなく、自分のことや日常的関心でもよいのです。たとえば、ダンスに夢中になっていれば、「なぜダンスが好きか、どこに魅力を感じているのか、これからどう続けていきたいのか」など、自分の今後につなげ、掘り下げて考え、その理由を書いてみましょう。

## 2 大学を知る、自分を知る、仲間を知る

大学には、高校までと違い、クラスはありません。1年次の英語の授業などで顔見知りになることもありますが、履修した科目によっては、周りはまったく知らない人ばかりということもあります。

また、大学の授業には、大人数の講義中心の授業もあれば、少人数のゼミもあります。講義を聴くだけでなく、ディスカッションやグループワークなど仲間と協同で課題を行う演習型の授業もあります（表1）。

**表1　大学の授業形式**

| 形式 | 人数 | 内容 |
|---|---|---|
| 講義 | 多い | 1・2年次に履修する全学共通科目など |
| 演習 | 中程度 | 講義＋ワークのブレンド型。実習、実験、調査も含む |
| ゼミ | 少ない | 3・4年次の専攻演習。討論や発表、論文執筆 |

時間割も自分で決めます。3W1Hで自分の時間割を大学4年間のスパンで俯瞰的にデザインしてみましょう（表2）。

**表2　時間割作成の留意点**

| | |
|---|---|
| Why | なぜ、学習区分と卒業要件が決まっているのか、理解しよう |
| | 必修科目、選択必修科目、教養科目、専門科目、卒業単位 |
| What | 何に関心があり、何を学ぶのか、何を目標とするのか、認識しよう |
| | ○○学に興味がある、資格を取る、TOEICで○点取る、英語が話せる |
| When | いつ履修するか、4年間の時間軸で就活も視野に入れ計画的に考えよう |
| | 履習年次、先修条件、就職活動期間、短期留学時期、教職実習期間 |
| How | 下記のツールを使い、自分の時間割の全体像を体系的に把握しよう |
| | 履修ガイド、授業時間割表、講義案内、シラバス、大学ホームページ<br>教務課窓口、掲示板 |

大学生活を充実したものとするためには、履修登録、単位修得や資格取得、課題や試験対策など、さまざまな情報を交換し合う仲間づくりが大切です。そのためには、まずは自分を知り、自分を相手に知ってもらう**伝える力**、**話す力**も必要です。また、相手を知るためには、相手を**理解する力**、話に耳を傾ける、**聞く力**も求められます。相手に信頼してもらうことによって、互いの絆は深まります。**コミュニケーションする力**は、大学の中だけでなく、アルバイトや就職活動、さらには社会で生きていくための根幹となります。

ここでは、自己紹介と他己紹介の体験を通し、自己理解や他者理解を深めます。**自分を対象化して語る**ことや**他者を知る**ことで、自分も知らない自分や世界を発見することができるでしょう。

**【Work 1】②自己紹介・他己紹介（➡ p.115）**

**〈自己紹介〉** 知らない者同士で２人１組になり、自己紹介し合います。積極的に自分のことを話しましょう。初めて聞く相手にもわかるように自己紹介しましょう。聞き手としては、質問の仕方も工夫し、次に行う他己紹介のために、空欄にメモを取っておきましょう。

①名前・所属学部（学群）・学年、②高校生活：出身地、得意な科目、部活・サークル、③大学生活：一人暮らし or 実家、おもしろい授業、関心のある専門分野、部活・サークル、④性格：自分から見た私、家族や友達から見た私、バイトでの私、⑤将来の夢、マイブーム（夢中になっていること）、特技など。

**〈他己紹介〉** 自己紹介した相手のことをほかの人に紹介します。自己紹介のペアが３～５組集まって、６～10人のグループを作り、他己紹介を行います。グループのメンバーに対して、自己紹介のペア同士で互いに紹介し合います。メモした記録を読み上げるだけでなく、自己紹介を聞いて感じた印象や感想を一言入れるようにしましょう。たとえば、「○○さんの○○は、……だと感じました。……のところがスゴイと思いました。……は素晴らしい経験だと思いました」など、グループのメンバーの顔を見ながら紹介しましょう。アイコンタクトが大切です。

**〈振り返り〉** 自己紹介と他己紹介が終わったら、振り返りをしましょう。気づいたこと・考えたこと・感じたこと・工夫したこと・うまくいったこと・難しかったこと・ほかの人の発表の優れていると思ったことなどをワークシートに記入しましょう。

# 論理的な考え方を学ぶ

# 1　論理的に考えるとは

論理的に考えるにはどうしたらよいでしょうか。みなさんにはこんな経験はありませんか。

レポートを書くために、資料を集めて読んでみた。でも、このあとどう考えたらいいか、わからない

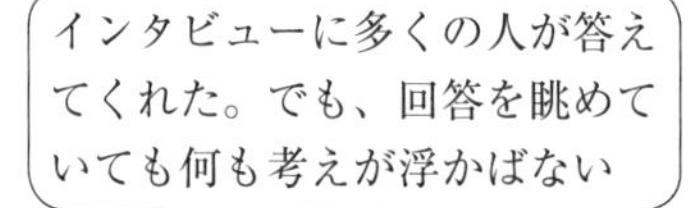

漠然と読んだり、眺めているだけでは、どう考えたらよいかはわからないでしょう。まずは集めた情報をもとに、思い浮かんだことを、**手を動かし紙に書いてみましょう**

大学で学んでいくためには、論理的に考える力を身につけることが必要です。実際に手や頭を動かして、集めた情報から何がわかるのかを考えてみましょう。考えるプロセスを可視化し、意識できるようになれば、決して難しくありません。

それでは、次の２つの場面での「考える」状態は同じかどうか、検討してみましょう。

〈休み時間〉
先生「P子さん、窓の外を見て何考えてたの？」
P子「もうすっかり桜は散ったなあと、ぼんやりと考えていました」

〈数学の時間〉
先生「三角形は２辺の長さがわかっていれば、残りの１辺の長さを求めることができます。どんな２本の線からも三角形は作れますか？」
P子「いま、線を引いて考えています。あっ、わかりました。２辺の和が対する１辺の長さより長いときに三角形ができます」

休み時間の「考える」は、桜を見て、季節の移（うつろい）について知っている知識を思い浮かべている状態です。それに対し、数学の時間の「考える」は、ばらばらな状態の知識に関係性を見出すため、補助線を引きながら、推理を行い、論理的に考えを組み立てている状態です。

この章では、後者の「考える」、つまり、ばらばらな知識や情報に、関連性や意味のあるまとまりを見出すための論理的な考え方を学びます。図解して思考を可視化し、何がわかるかを考える方法の１つとして、KJ 法を学んでいきましょう。

## 2　考えるプロセスを支援する KJ 法

KJ 法は、混沌とした情報を論理的に筋道立てて整理し、そこから何がわかったのかを発想する方法です。開発者の川喜田（かわきた）二郎さんの名前の頭（かしら）文字から命名されました。この章では、川喜田さんの著書[(3)(4)]にある KJ 法を使い、どうすれば多様な情報をうまくまとめられるか、方法の具体例を示しながら解説します。

川喜田さんの専門は、野外科学（フィールド・サイエンス）です。野外科学が扱うのはありのままの自然であり、多種多様な自然の要素が複雑

(3)　川喜田二郎（1967）『発想法――創造性開発のために』中公新書.
(4)　同（1970）『続・発想法―― KJ 法の展開と応用』中公新書.

にからみ合っています。KJ 法は、こうした混沌とした現実の問題を解決するため、何らかの秩序を見出し、体系づける科学的な方法として開発されました。

まず、ありのままの自然（社会や人間も含む）を観察し、問いを立てます。問いは、学問の世界のことだけでなく、社会問題から家庭の問題まで、あらゆる問題解決過程を対象としています。たとえば、「日本の将来を見据えて原発再稼働をどうとらえていくか」とか、「人工知能の時代に何を学ぶべきなのか」とか、「アルバイトは何がいいか」とか、大問題でも日常の問題でもよいのです。

次に、情報を集め、記録した紙切れ（貼ってはがせる糊（のり）のついた付箋（ふせん））を用い、それらを**分類**し、**図解**します。手を動かして「この付箋はこっちのグループに入る」と移動させ、ああでもない、こうでもないと、図を描きながら**考えるプロセスを可視化**します。そうしていくと「これはこういうことかな」という**意味のあるまとまりを発見する**ことができます。図解することによって、「わかった！」と、いままで気づかなかった**新しい意味を発想する**ことができるのです。これが**KJ 法**です。

さらに、図解することで、情報の関連性が理解できるようになり、**論理を組み立てるプロセスがわかる**ようになります。図 1 （p.20）を見ると KJ 法のイメージがつかめます。

## ◉ ディスカッションやレポート・論文作成にも役立つ！

さらに、KJ 法は、正解のない問題を何人かで考えるときや、レポート課題に 1 人で取り組むときにも、情報を整理し、筋道立てて論理的に考えることに役立ちます。たとえば、「インターネットが普及した現代では従来の学校や大学での学び方でよいのか」というような課題です。

KJ 法は、単に情報を整理し、考えるプロセスを支援するだけでなく、**混沌とした情報を図解という作業を通して可視化し、手と頭を動かして論理を組み立て、新しい考え（結論）を導き出す発想法**でもあります。

## 3　現実を観察して、問いを立てる

それでは具体的に、ありのままの大学生活を観察し、問いを立ててみましょう。問いを立てたあと、調査を行い、集めた回答をKJ法で分析するプロセスを想像しながら考えてみましょう。

ここでは、**「自分の大学を知る」**という共通テーマをもとに問いを立てます。自分の大学を調べるワークを通して学ぶので、**自校意識も芽生えます。**

まず、テレビのニュースでよく見る街頭インタビューのような形式で回答を求めることを想定して、オリジナルな問いを考えてみましょう。1つのグループを5～8人とします。インタビューの対象者は、キャンパス内にいる学生や同じ授業を履習している学生とします。

**「自分の大学を知る」ための問い（例）**

・いま、最も充実していること、楽しいと感じることは何ですか？
・いまの目標は何ですか？　将来の夢は？
・大学の勉強は将来役立つと思いますか？　どんなことが？　それはなぜ？
・アルバイトの経験は将来役立つと思いますか？　どんなことが？　それはなぜ？
・リーダーシップがある人とは？　具体例と理由を答えてください
・尊敬する人はどんな人？　それはなぜ？
・後輩に私たちの大学を勧めるとしたら、おすすめのポイントは？
・授業の合間の空き時間をどこでどう活用していますか？
・10年後のあなたは何をしていますか？　想像して答えてください

興味深い魅力的な回答が引き出せそうな問いが、何か思い浮かびましたか。回答者の立場やその後の分析を考慮すると、次のような問いは考え直す必要があります。

| 適切でない具体例 | 考え直す必要がある理由 |
|---|---|
| 短期留学は英語力上達にどれくらい効果がある？ | 簡単に回答できず、分析も難しい |
| ○○大学は第一志望ですか？　第一志望の大学は？ | 個人的なことで答えたくない |
| 学食で好きなメニューは？ | 分析結果から興味深い考察が期待できない |
| ディズニーランドで行きたいアトラクションは？ | 共通テーマの大学生活と関連性がない |

## ◉ ブレーンストーミングして、問いを考える

まずは、多種多様で豊かな意見を出し合うために、ブレーンストーミング(5)を行ってみましょう。活発に意見交換することで斬新なアイディアの発想が期待できます。

**ブレーンストーミングの４つの原則**

① **非難しない**：他人の発言を非難しない。「変！」などと言わない
② **どんどん話す**：たくさんのアイディアを出す。まずは質より量
③ **自由に発言する**：「こんなことを言ったら笑われるんじゃないか」などと思わず、他人の評価は気にしない。思いついたことを自由に発言する
④ **意見を結合して発展させる**：他人の意見を聞いて、連想を働かせ、自分のアイディアを加えて、新しい意見として発展させる

つまり、多くの意見を出し合うためには、他者の意見も自分の意見も尊重し、非難しないことがポイントです。自由に意見を出し合ったあと

(5)　前掲書.

で、それらの意見が問いとして適切かどうかを客観的に検討すればよいのです。



## ◉ オリジナルな問いを考える：「自分の大学を知ろう」

「自分たちの大学について知ろう」というテーマのもとに、オリジナルな問いを考えてみましょう。問いが決まったら、インタビューし、データをKJ法で分類して何がわかったか、ポスターにまとめ、発表しましょう。このワークには、次の４つのねらいがあります。

**４つのねらい**

① **主体性**：自ら、問いを考える。どんな質問だと、興味深い回答が引き出せるか、独自の問いを考えよう

② **創造性**：データを分類し、図解する。図解したことから何がわかるのか、創造性をはたらかせ、考える力をつけよう

③ **論理性**：論理的に考え、表現する。思考の道筋がわかるポスターを作成し、何がわかったかを、論理的にプレゼンしよう

④ **協調性**：グループでの協力が大切。メンバーが協力し合い、主体的に役割を遂行しよう。人任せで協力的でないフリーライダーは厳禁です

**【Work 2.1】オリジナルな問いを考える**（➡ p.117）

(1)　ひとりひとりが自分のワークシートにオリジナルな問いを３つ書き出します。

(2)　グループで問いを発表し、「なぜ、その問いを考えたのか」など互いの意見を聞き、「自分の大学を知る」をテーマとして、どの問いが魅力的な回答を引き出せそうかを話し合います。最終的に３つに絞り、実施したい順番に書き、優先順位をつけます。

(3)　グループの代表者が板書して、適切な問いか、先生やほかのグループに点検してもらいます。グループ間で重複したものは調整します。決定した問いに○印をつけます。

## 4　情報を集める

問いが決まったら、さっそくインタビュー[6]を行い、情報を集めましょう。2～3人が1組になり、まず次のように、依頼者にていねいに説明して了承を得ます。ただし、無理に頼み込むのは禁物です。

**【Work 2.2】インタビューを行い、情報を集める（➡ p.117）**

**［必要な文具］** 回答用の付箋（75 × 75㎜、50枚くらい)、回答用細マジック3本、A4用紙3枚（理由を聞き取り記録するため)

(1)　質問内容を書いた紙を見せて依頼します。サンプルとして下の例のように、回答を記入した付箋を見せるとわかりやすいでしょう。

(2)　了承が得られたら、回答を付箋に書いてもらいます。

(3)　回答の理由を口頭で聞き、記録係を決めておき、メモ用紙に書いておきましょう。回答を分類するときに使います。たとえば図1（p.20）の例を見ると、「アカペラ」という回答だけでは、なぜ大学生活が充実しているかがわからず、詳細な分類ができません。<u>理由を必ず聞き、記録してもらいましょう</u>。

(4)　最後に「ご協力ありがとうございました」とひとことお礼を言いましょう。

「　　　」という授業で、「自分たちの大学を知る」ことを目的として、インタビューを実施しています。回答は授業以外の目的には使いません。よろしければ、次の質問に答えていただけますか。

**「尊敬する人はいますか？ 理由は？」**

下記のように付箋に回答理由、学部、学年を書いてください。

| 剣道部の先輩<br>辛抱強い、優しい<br>経済　2年 | 孫　正義<br>意思決定力<br>理工　3年 |
|---|---|

(6)　ここでのインタビューとは、仮説を検証するための構造的なインタビューとか、1人の対象者にじっくり時間をかけてインタビューするというものではありません。その場で、すぐに短く気軽に答えてもらうことを想定しています。

## 5　情報を分類し、図解する

回答は目安として40枚くらいあれば、詳細な分類ができるでしょう。回答数が十分でなかったら、すでに収集し終えたグループに回答してもらいましょう。

**［必要な文具］**　見出し用の付箋（75×75㎜、40枚、回答用の付箋と異なる色）、模造紙1枚、Ａ４用紙10枚程度、黒と赤の太マジックペン

### ◉ 情報を分類する

(1)　Ａ４用紙１枚に付箋を６枚、重ならないよう貼り付け、並べます。

(2)　付箋の回答を１枚１枚確認しつつ、左から右、上から下へと、じっくりと何回も眺めます。

(3)　眺めていると、「これとこれは似ているかな」と感じるものが出てきます。理屈で考えるのではなく、似ていると「感じる」付箋を集め、Ａ４用紙に貼り替えます。

(4)　既成概念にとらわれ、大分けしてから小分けにすると、それぞれの回答の持ち味を生かすことができません。「これとこれが近いんじゃないか」というように集めていき、自然と集まっていくようにして、小分けから大分けへと進め、まとまり（島）を作っていきます。

(5)　付箋を集めて島を作るときは、直接模造紙に貼り付けるのではなく、まずはＡ４用紙を１つの島に見立てて移動させます。あとで行う模造紙の上での空間配置（論理の組み立て）の際に、島を自由に移動させることができるからです。

(6)　10枚の付箋を貼り付けた島もあれば、５枚の島もあるというように、付箋の数を揃える必要はありません。また、どの島にも入らないという付箋は、無理やりどれかに押し込まず、１枚であっても１つの島を作成します。

(7)　最小の島の数は8～15くらいとすると、論理をまとめやすいでしょう。

## ◉ 分類した情報（島）に見出しをつける

(1)　それぞれの島（付箋を貼ったA４用紙）に見出しをつけます。見出しの付箋は回答用の付箋とは異なる色を用います。見出しの長さによって、２～４枚連ねて使います。

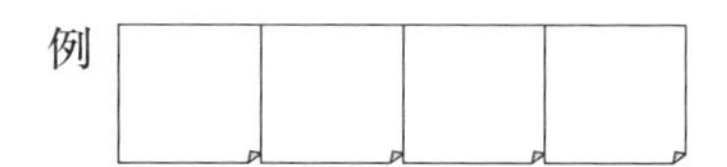

(2)　〔**重要**〕ズバリ、**本質をついた見出し**を考えてください。瞬時に見て意味がわかるよう、簡潔な表現にします。

(3)　見出しを考えているうちに「この付箋はこの島には入らないのではないか」ということも出てきます。その場合は検討し直し、**配置換え**してください。

(4)　途中、表現の修正ができるよう、鉛筆で書いておき、仕上げの段階で決定版の見出しをマジックで書きます。

## ◉ 情報（島）を配置する

(1)　A４用紙の島を模造紙の上に並べ、見出しを眺めて、**島同士の意味のつながり**を考えます。

(2)　〔**重要**〕関係が深いと思う島と島を近づけ、**大きな島**を作り、付箋で**大見出し**をつけます。

(3)　**問いに対して納得のいく根拠を示す**ため、それらの島を全体の空間にどう並べたらよいか、**論理的な説明ができるか**、島を移動させながら検討します。

(4)　**「問いと根拠がつながった」**とある程度の**結論**らしきものが見えてきたら、実際に声に出して空間配置が意味することを説明してみましょう。うまくつなげて説明できたら、図解の段階に進みます。

## ◉ 全体構造がわかるように図解する（図１、p. 20 参照）

(1)　模造紙に、空間配置で決めたように、付箋を貼っていきます。

(2) 〔**重要**〕島はだ円で囲みます。同類の島同士を集め、小さな島から大きな島へと**幾重にもだ円を描く**ことで、大きな概念か小さな概念か、**関係性**や**階層性**をより明瞭にすることができます。大きな島ほど**太い線**で表現するとわかりやすいでしょう。

(3) 〔**重要**〕島と島の関係は矢印を使って**論理の構造**を示します。

**相互関係** ↔、**対立関係** ＞—＜、**原因・結果関係** →

島の関係性を示す論理を明確にしましょう。

(4) **一目で全体構造がわかる**ことが大切です。ばらばらであった事柄が、図解することで「なるほど」「わかった」と納得できる構造を示しましょう。

(5) 見出しのことばを用いて、結論が一目でわかる、**インパクトのある題名**をつけて下さい。

**◉図解の３ポイント**

① 階層性：島を大・中・小で示す

② 関係性：論理を示す３つの矢印を用いる

③ 明瞭性：的確な見出しとタイトルにする

**【Work 2.3】情報を分類し、ポスターを作成する**（➡ p.119）

(1) pp.17～19を読み、作業内容を理解しましょう。

(2) データを、KJ法を用いて、分類します。

(3) 分類した結果を図案にします。付箋を貼ったＡ４用紙を移動させ、論理の流れを考えて、空間配置を決めます。ワークシートにはおおよその図案を書いておきましょう。

(4) 図案をもとにポスターを作成しましょう（図１参照）。大きな島は太線で、小さな島は細い線で書き、概念の階層化を示してください。論理関係を示す矢印↔ ＞—＜ →を使って、一目でわかるポスターをめざしましょう。来週の前半で完成するようにしてください。

(5) タイトルも考えて一番上に書きましょう。

授業10分前に終了し、片づけをして、ワークシートに本日の振り返りを記入しましょう。

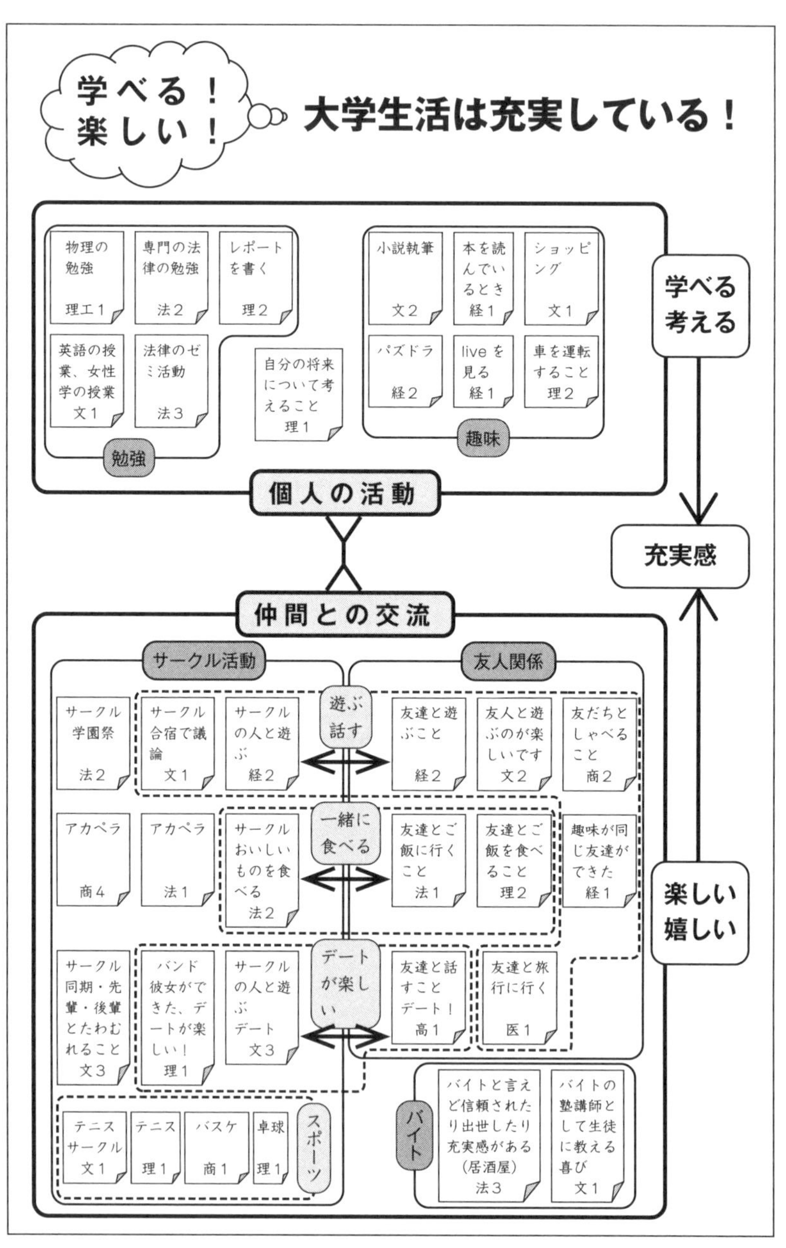


図1　KJ 法によるポスターの例

## 6　論理を組み立て、文章化する

集めた情報を分類し図解してきた成果を結論として発表するために、論理を組み立てて文章化します。

注意してほしいことは、KJ 法による分類は**量的分析ではない**ので、回答数に注目するよりも、ひとつひとつの回答の内容を活かし、図解することによって何がわかったのかを解説することが重要です。**図解したデータから、新しくわかったことを発想することが KJ 法のポイントです。**文章化した内容は、そのままプレゼンテーションで使います。

次の要領で進めましょう。

### ◉ 問いの立て方から結論まで

(1)　**問いの立て方**：テーマ「○○大学を知る」のもと、なぜこの問いに決めたのか、何を知るために何を調べようとしたのかを述べます。

(2)　**インタビュー**：収集した回答数の内訳（学部別あるいは学年別に集計）を説明します。さらに、インタビューを行って成功したことや、うまくいかなかったことの原因を述べます。

(3)　**島と見出し**：それぞれの島についてどのような考えで分類し、見出しをつけたのか説明します。その際、小さな島から大きな島へと説明し、島と島との関係性を示す矢印（対立>—<、相互<—>、因果—>）を用いて、**論理的**に解説してください。

(4)　**結論**：どのような結論に至ったかを下記の例のように２～３点に**論理的**かつ簡潔にまとめ、別紙（Ａ３用紙）に１点ずつ書いてポスターの下（横）に貼ってください。プレゼンではそれを使って説明します。

| ②一方、大学生活で、サークル活動や友人関係、バイトで、仲間との交流を通して、楽しさや嬉しさなどの充実感を持つ学生が多いことがわかった。 | ①大学での専門の勉強や授業での学びや、将来を考えることなど個人の活動において充実していることがわかった。 |
| --- | --- |

(5)　**題名**：結論が一目でわかるインパクトのある題名であることを論理かつ説得的に説明して下さい。

(6)　**振り返り**：図解の全過程を振り返り、試行錯誤して苦労したことや工夫したこと、「ここを見て」とアピールしたいところを述べます。

**【Work 2.4】ポスターを完成し、文章化する（➡ p.120）**

(1)　ポスターは授業の前半に完成させるようにしましょう。

(2)　そのあとでグループで話し合い、結論を２～３点にまとめ、ワークシートに記入しましょう。

(3)　完成した結論をＡ３用紙を横長に使い、１枚について結論を１点、遠くから見える大きさの文字で、要点をまとめて書きましょう。

(4)　以上が終わったらWork 2.5を授業時間内にできるところまでやりましょう。

## ◉ KJ法による分析と図解、グループワークの成果

(1)　研究のプロセスや**論理的**な考え方を学ぶという取り組み全体から得たものを振り返ります。

(2)　問いの立て方、インタビュー、KJ法による図解、**論理的**に結論を導き出すことも含め、グループワークを通して大変だったことや成功したこと、学んだことを振り返りましょう。

**【Work 2.5】発表会の準備、発表会、振り返り（➡ pp.121 ～ 122）**

(1) 発表内容の打ち合わせをおこないましょう。

以下の①～⑥までの内容について、まずグループで話し合い、内容を確認し、発表の役割担当を決める。必ず、全員が発表すること。たとえば、グループの人数が少なければ、１名の担当箇所を増やすとか、人数が多い場合は詳しく説明しようとする箇所を複数で行うなど、役割を明確化しましょう。特に④の結論は重要な部分なので、複数名で担当してもよいでしょう。

①なぜ、このテーマに決めたのか、何を知るために何を調べようとしたのか。題名のつけ方について。

②収集したデータ数の内訳。インタビューをしてみて成功したこと、うまくいかなかったことの原因とその解決策。

③まとまり（島）の作り方や見出しのつけ方で苦労したことや工夫したところ。

④調査でわかったことを２～３点の結論にまとめ、発表では強調したいことを明確に述べよう。

⑤ポスター作成で工夫したところ。アピールしたいところ。「ここを見て」というところ。

⑥この取り組みから得たもの。グループ活動を振り返ってみて大変だったことやよかったことなど。

(2) 発表内容については、全員で話し合い、自分が担当することとなった番号を欄の（　）に記入し、発表内容は話しことばで記入します。

そのワークシートを用いて、プレゼンの練習をしましょう。あらかじめ p.24 の「論理的にプレゼンテーションする」を読んで、プレゼンのポイントをつかみ、発表の練習をします。

(3) 発表会が終わったら、自分のグループの評価できる点と反省点を簡潔に書いてください。

(4) 発表グループの中から、よいと思われる１グループを選び、グループ名を書き、その脇に評価できる点を書いてください。

**・〔重要〕KJ 法を用いた研究プロセス（テーマ設定、インタビュー実施、KJ 法による分類と図解、ポスター作成、論理的に結論をまとめる、論理的にプレゼンする、グループ活動）の経験から学んだことを具体的に書いてください。第２章の学習の評価のポイントとなります。しっかり書きましょう。授業時間内にできなければ、宿題で書いてきてください。**

## 7　論理的にプレゼンテーションする

これまでの成果を、みんなの前で発表しましょう。多くの人の前で研究成果や情報を発表することをプレゼンテーションと言います。聞き手に「なるほど！」と納得させるためには、理解しやすく説得力のある、論理的なプレゼンテーションを行う必要があります。

**まず、聞き手に話の要点を伝え、聞くための準備をしてもらいます。そのためには結論を先に述べ、聞き手が話の全体像を頭の中でイメージできるようにします。**具体的には、次の３段階で話します。

**論理的に伝えるポイント**
**①要点（結論）を簡潔に説明する**
**②具体的な説明をする**
**③最後に結論を確認する**

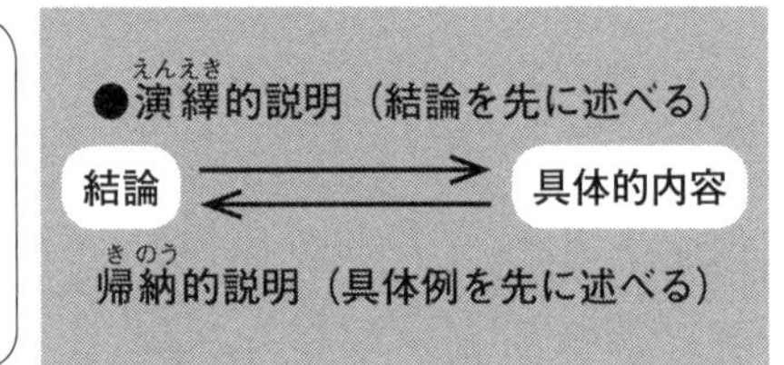


聞き手は①でおおよその話の要点を聞き、話を聞く準備ができます。その後、②で詳しいことがわかり、③で結論を確認できます。この**論理の流れ**を作ること（**演繹的説明：結論を先に述べること**）が、**論理的に伝えるためのポイント**です。

**わかりやすいプレゼンテーションのコツ**

①どう**問い**を立て、何を**根拠**とし、**結論**で何がわかったかをきちんと確認し、原稿作成の段階で論理的に飛躍がないようにします。

②**「事実としての情報」と「情報からわかったこと（意見や判断）」を明確に区別して述べます。特にKJ法のような質的分析では、客観的かつ科学的に伝えるために重要なポイントです**。

③図解を指し示すときも、原稿はときどき確認する程度にし、聞き手をしっかり見て話すと、内容が明確に伝わります。

④不安であっても堂々と話しましょう。説得力が出ます。

# レポートの書き方の基本を学ぶ

## 1　自分で考えて書く力をつける

大学では、さまざまな授業で「レポートを書く」ことが課せられます。また、論述試験など「書いたもの」は、学習の成果物として成績評価の指標となります。４年生になれば就職活動でのエントリーシートを作成するなど、大学生活のあらゆる場面で「自分で考えて書くこと」が求められています。とはいえ、自分で考え、自分の言葉で書くことは、決して簡単なことではありません。

みなさんにはこんな経験はありませんか。まず、出されたレポート課題のキーワードをインターネットで検索してみる。そして、課題の要求に合った情報をある程度、手に入れることができる。それをダウンロードして適当に貼り付けてしまう。つまり**コピペ**（コピー&ペースト）で、パッチワークするように、時間もかけず、それなりの体裁のレポートを作ってしまうような行為です。検索した情報はインターネットのホームページが２、３件。本はまったく読んでいない。たとえ本を読んで調べたとしても１、２冊に頼りきりで書いてしまう。

また、意図的ではなくとも、本を読んでいくうちに、まったく著者の述べている通りだと納得すると、そのまま抜き書きして自分の意見のように書いてしまうという経験もあるかもしれません。

**自分の言葉で書くためには、本を読み込み、内容を理解したうえで、自分自身の考えを組み立てていかなければなりません。**本の内容が専門的であるほど難しく、時間もかかります。自分には無理だととまどってしまうこともあるでしょう。

一方、学期末の論述試験で、講義ノートやテキストの内容を丹念に復習して臨んだけれども期待したほどの評価は得られなかったということもあるかもしれません。**基礎知識を憶（おぼ）えることは大切な学習ですが、憶えたことを書き連ねるだけではよい評価は得られません。**読み手（評価者である先生）が「なるほど、この学生はよく考えている」と思ってくれるように、**自分の考えを説得力を持って書くには、内容を深く理解する学習が必要です。**試験で期待ほどの評価ではなかったのは、自分自身は一生懸命勉強してしっかり書いたつもりだったけれども、出題の意図をきちんと理解して、明確に自分の見解を展開しているか、という先生の評価基準に達していなかったからではないでしょうか。

大学でのレポートの書き方にはルールや型があります。その基本をきちんと学び、考え方を習得すれば、よいレポートを書くことができるようになり、論述試験対策にもつながります。まずは、基礎力としての、**自分で考えて書く力、相手に説得力を持って伝える知識・技術・表現力**を身につけていきましょう。

**【Work 3.1】作文を書く――作文とレポートの違い（➡ pp.123 ～ 124）**

(1)　高校では制服がある方がよいか、自由な服装がいいのか。自分の意見を20分ほどで書いたあとで、キーワードを3つ選択し、それらを用いて具体的な題名をつけてください。

(2)　4～8人で読み合わせをし、「説得力のある意見」はどのような書き方をしているか、特徴をあげてみましょう。さらに説得力を高めるためには何をおこなう必要があるでしょうか。

(3)　作文と、大学での求められるレポートは何が違うと思いますか。空欄に書き入れてください。

**〔宿題〕**次回は「批判的に検討すること」について学習します。高校生の制服について調べてきてください。制服は何のためにあるのか、その目的や役割について。制服はある方がよいか、ない方がよいか、意見の根拠は何か。自由だとすれば、どこまで自由を認めるのか。Google や Google Scholar を使ってネットで調べます。さらに、図書館のデータベースを使い、制服の歴史や高校生の意識について書籍・論文・新聞を調べましょう。p.39の表5を参照し、情報を集めることに挑戦してください。

　具体的には、書籍を図書館で借りて持参する。新聞記事やウェブで調べた場合は、必要な箇所をダウンロードして、スマホに保存してきて下さい。ダウンロードした日付はメモしておきましょう。以上の情報を、2点調べて、Work 3.2（p.123）の〔宿題〕に、下記に示した例のように記入してきてください。

| 何で | キーワード | 調べた情報の著者名、題名、書名または雑誌名、巻、ページ、要点を簡潔に記録しよう |
|---|---|---|
| OPAC | 制服・高校 | 堀内都喜子（2008）『フィンランド　豊かさのメソッド』集英社新書.<br>フィンランドの中学・高校では制服はなく、女の子はメイクやオシャレもしているが、学力は世界1位 |
| CiNii | 制服・高校生・意識 | 古結亜希・松浦均（2012）「高校生の自己意識が制服着装行動に与える影響について」『三重大学教育学部研究紀要』63巻、pp.287-295.<br>かっこよく見られたいけど、目立ち過ぎたくないという評価意識が制服着用に影響している |

## ◉ 作文とレポートは違う

作文は、自分が思うがまま、感じたままに、特別な裏づけがなく書いても問題にはなりません。一方、大学で求められるレポートは、自分の主張を裏づける信頼性のある証拠が求められます（表3）。したがって、レポートを書くためには、下準備が必要です。課題を「**理解する**」、資料を「**調べる**」「**読み込む**」、論点を「**絞り込む**」、内容を「**組み立てる**」など書き出す前の準備が必要です。

**表3　作文とレポートの違い**

| | 作文 | レポート |
|---|---|---|
| 感想・意見 | 思うがまま心情を述べる | 論理的に主張を述べる |
| 調べる・証拠 | 調べなくてもよい | 調べて主張の根拠を明示する |
| 形式 | 決まっていない | 専門分野によって型がある |
| 文体 | です・ます体／である体 | である体 |

本書では、テーマに対し、根拠に基づいて主張する論証型レポート[(7)]の書き方を取り上げます。

**論証型レポートは、アカデミック・ライティングの基本**です。

以下の２点は必須項目です。しっかり学んでいきましょう。

**アカデミック・ライティングの基本**

① 信頼できる証拠を裏づけとし、自分の主張を明確に提示する。

② 異なる意見を批判的に検討し、自分の主張を説得的に述べる。

(7)　論証型レポートのほかに、ブックレポートのような説明型や、実習記録などの報告型、実験や調査による実証型のレポートがあります。詳しくは、井下（2019）『思考を鍛えるレポート・論文作成法　第３版』p.40を参照してください。

## ◉ 批判的に検討するとは

自分の主張を明確に示すためには、自分の主張を批判的に検討するだけでなく、**自分とは異なる意見も批判的に検討することが必要です。**

と言っても、初めてレポートを書く人には、まったく知らない学問の「○○理論を批判的に検討せよ」という課題はとても難しく感じられるでしょう。「批判する」とはどういうことか考えていきましょう。

「批判する」という言葉には、他者のあら探しをする、非難するという否定的な意味もあります。その場でお茶を濁し、責めをのがれ穏便に解決しようとする日本的風土では、徹底して議論することを避ける傾向があるようです。

しかし、**大学で求められるレポートでは、根拠に基づき問題を指摘する、建設的に問題を検討するという意味で「批判する」という言葉が使われています。批判的に検討することで、新たな解釈や事実が明らかとなり、学問は進歩します。**批判することがなければ、アカデミックなレポート、すなわちアカデミック・ライティングとは言えないのです。

それでは「高校生の制服の自由化について批判的に論じなさい」という課題を例に考えていきましょう。

高校生になったんだから、自分の服装は自分で決める。制服は自由化すればいいと思う

高校生と中学生はどう違うの？
その**基準**は何？
高校生になると、なぜ自分で決めなければならないの？
その**根拠**は何？
制服で学校に行くのも自由？
**具体例**を示して。
自由化することの**メリット**と**デメリット**は？
制服の方がかわいくない？　はかの意見は？

これは高校1年生の女の子の「意見（主張）」に対する高校2年生からの「つっこみ（批判的検討）」です。

1年生の女の子はこうしたつっこみに応じ、議論し、説得力を持って主張することが大切です。高校生であっても、男子と女子、公立と私立、学校の校風、家庭環境も異なります。さまざまな意見があって、当然です。そうした多様な背景を想定せずに、一方的に自分の意見を述べているばかりでは主張は明確になりません。

**説得するとは、相手を納得させ、意識や行動に変化を起こさせることです**[(8)]。そのためのポイントは次の2点です。

**説得するためのポイント**

① 自分の主張の妥当性を、これまでの議論に位置づけて吟味し、**信頼性のある根拠を裏づけ**として論証・実証すること。
② 自分の主張とは**異なる意見**について、どこがどう違うのかの**基準**を示して、自分の主張の**妥当性を論証・実証**すること。

(8) 深田博己（2002）『説得心理学ハンドブック』北大路書房.

【Work 3.2】情報の検索と整理、批判的に検討するとは
(1) 高校生の制服（➡ p.125）

(1) 宿題で調べてきた情報をグループで共有しましょう。
(2) うまく情報を検索してきた人はどのような工夫をしていましたか。
(3) pp.30 ～ 31 を読み、批判的に検討するとはどういうことか、なぜアカデミック・ライティングではそれが必要なのかを話し合ってみてください。そのあとで調べてきた資料を使って、意見の根拠を整理し、異なる意見を検討したうえで、補足事項や条件を考えましょう。

〔宿題〕「小学生のケータイ・スマホの利用実態と問題」について p.39 の表5を参照し、資料を3点調べ、Work 3.3 に記入し、必要な部分をスマホに保存し持参してください。

## 2 考えて書く5つのステップ

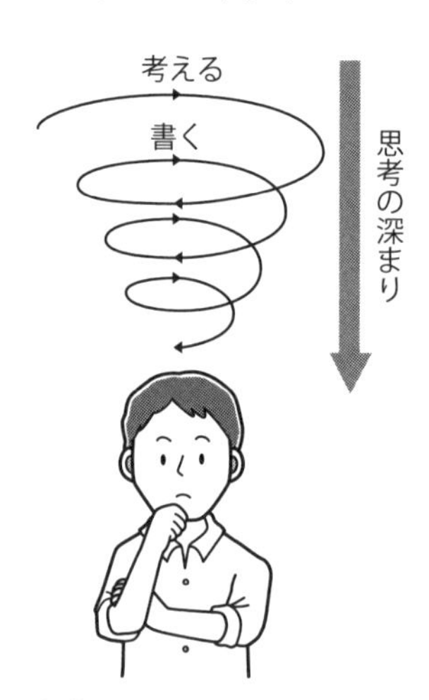

書くことで思考が深まる

考えることで書こうとする内容は整理され、書くことを通して、自分の言いたいことや論理の流れは明確になり、思考はさらに深まります。

書いては考え直し、また書いては考え直す。行きつ戻りつを繰り返す。この往復運動が、必要です。

考えて書く5つのステップ（図2）を実践して、よりよいレポートをめざしましょう。

ステップ0
**見本レポートを見てイメージをつかむ**

**見本レポート**（pp.60〜63）を見てイメージをつかむ。「なるほど、こう書くのか」「文字数はこれくらいか」など、分量の目安、題名や見出し、引用の仕方、論理を示す接続表現に注目してください。

ステップ1
**テーマを決める 論点を定める**

素朴な問いを大切にし、資料を徹底して調べ、テーマが決定するまで広げては絞り込む往復運動を繰り返す。テーマが提示されている場合は、テーマに関するキーワードを使って、**論点を絞り込み**、下調べに入る。

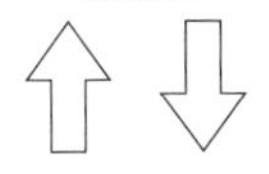

ステップ2
**調べる**

**下調べ**：概略的知識を検索エンジンや事典で調べる。
**文献検索**：データベースによる検索、芋づる式検索。
**文献入手**：資料を読み込み、さらに情報を収集する。

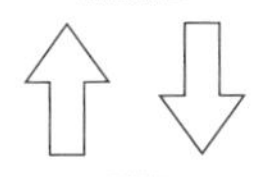

ステップ3
**組み立てる**

構造を組み立てるため、**主題文**を書く。
**アウトライン**を作成する。仮の題名をつける。

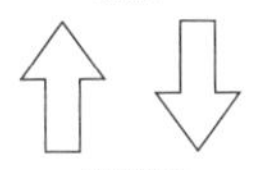

ステップ4
**執筆する**

**基本フォーマット**（pp.48〜49）を用いて、執筆する。キーワードとの整合性を考え、題名をつける。

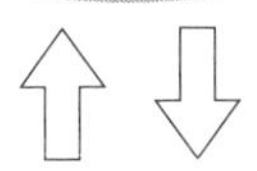

ステップ5
**点検、推敲する**

原稿を読み返し、**自己点検評価シート**（pp.64〜65）でチェックしてさらに推敲する。

**図2　考えて書く５つのステップ**

## ステップ0　レポートのイメージをつかむ

まずは、レポートとはどのようなものか、そのイメージをつかんでおくことから始めましょう。提出するときの表紙のイメージ（図6）、ページ設定（図7）、章立て、論理の流れ、見本レポートなど、基本となる形のイメージをしっかり頭に入れておきましょう。

論証型レポートは、序論、本論、結論の３つの部分で構成されています。序論が１章、本論が２、３、４章、結論が５章という全５章構成が、レポートの基本的な構成法です（図８）。本論には、論理展開を示す具体的な見出しを入れます。

次に、図３の**砂時計**を見てください。レポートや論文の**論理の流れ**を、砂の流れにたとえてイメージするとわかりやすいでしょう。

さらに、**基本フォーマット**（pp.48～49）に、調べた情報を書き込んでいきます。**見本レポート**（pp.60～63）を見ると、具体的にどう書けばよいかがわかります。たとえば、「コピペと言われないように書くためには、引用をどうすればいいのか」「2,400字はＡ４用紙２枚か」「4,000字の課題に驚いたけど、Ａ４用紙３枚半程度か」というように、実際のレポートの全体像がわかってきます。見本レポートをざっと眺め、「こんな感じで書くのか」と、おおよそのイメージをつかんでください。

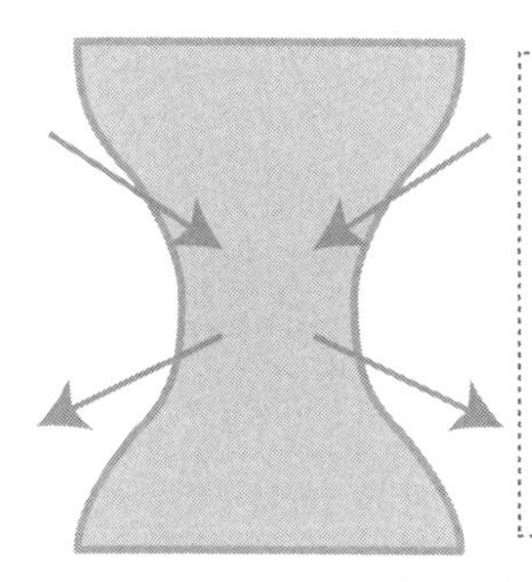

論理の流れを、砂時計でイメージするとよいでしょう。
序論で、テーマとする領域の問題を広く捉え、論点を絞り込んでいきます。次に、本論で内容を捉え、最後は結論へと広い底にめがけてサーッと流れる砂をイメージしてください。砂の流れは、結論を広い文脈に位置づけ、今後の課題へと発展的につなげていく**論理の道筋**を示したものです。

**図３　論理の流れは砂時計**

## ステップ1　論点を定める



### ◉ 論点を定める（テーマを決める）ためのポイント

論証型レポートでは、課題として広いテーマが示されます。その広いテーマの中から、自分がおもしろそうだと思うことや、これなら自分の主張を展開できそうだという論点を見出すことが大切です。

そのためには、資料を調べ、読み込み、「自分がそのレポートで何を主張するのか」をよく考えたうえで、論点を絞り込んでいくことが必要です。

「調べる」「絞り込む」という作業を繰り返し、主張を裏づける、つまり論証できる適切な資料があるかどうか、自分の力で書けそうな内容かどうかを判断して、「これなら書ける！　根拠を明確に示せる」と思える論点を見つけましょう。

また、レポートには提出期限があります。資料を調べてもなかなか論点が定まらず、執筆に十分な時間が取れないこともあります。次の6つの条件を参考とし、計画的に作業を進めていきましょう。

**論点を定める（テーマを決める）ための6つの条件**

① 課題のテーマに適合しているか。
② 自分が興味や関心を持つことができる内容か。
③ 自分の主張を展開できそうか。
④ 主張の根拠とする情報を集めることができるか。
⑤ 課題条件の字数で書けそうか。
⑥ レポート提出後にプレゼンテーションを行う場合は、聞き手が理解でき、関心がある内容かどうか。

次の課題をおこない、アカデミック・ライティングの基本となる「論証型レポートの書き方」を学びましょう。

> **【論証型レポート　提出課題】**
>
> 「小学生（または小中学生、中学生）のケータイやスマホの利用実態と問題」「高校生の制服着用問題」のいずれかを選択し、資料を調べ、問題背景や実態を明らかにし、論点を明確にしたうえで、信頼性のある根拠を示して、自分の意見を2,500～3,500字程度（A4用紙40字×30行＝1,200字、2～3枚程度）で述べなさい。ページ設定はp.47図7を参照。
>
> はじめに（序論）、おわりに（結論）を含め、レポートを5章で構成すること。本論の3つの章には、内容を表す適切な見出しをつけること。本文中で引用元（出典）を明確に示すこと。
>
> レポートの最後に引用文献一覧を明記すること。引用文献は5点以上。ネットの情報だけでなく、書籍・新聞記事・学術論文・省庁のホームページから、いずれかを3点以上引用すること（p.39の表5を参照）。ネットで検索した情報はURLと閲覧日を明記すること。

## ◉ 課題内容の要求を理解して、情報を整理する

以上のような課題が出されたら、まず何から始めますか。パソコンやスマホを使い、インターネットの検索窓にキーワードを入力するだけで、ある程度の情報をすぐに集めることができるでしょう。

でも、最初からインターネットに頼るのでなく、まずは自分の経験から、ケータイやスマホの使い方や問題を考えてみましょう。たとえば、ゲームをやりすぎて利用料金がいきなり跳ね上がってしまった、友だちとLINEのやりとりで不愉快な思いをしたといった経験はありませんか。あなた自身、スマホやネット依存になっていませんか。私たちの暮らしや大学生活においてスマホは欠かせないものとなりました。

「スマホを家に忘れた。戻ったら、授業に間に合わない！」

そのとき、あなたはどうしますか？　スマホなしの一日は不便なだけでなく、あなたを不安な気持ちにさせるかもしれません。SNS（Twitter、LINE、Instagram）など、ネット環境の変化は、人々の意識や行動に大きな影響を与えています。

そこで、ケータイやスマホの優れている点と問題点を、表4の思考を整理する方法を用いて整理してみましょう。

**表4　思考を整理する方法**

| | |
|---|---|
| **表に示す** | 複数の事柄の**比較**や、原因と結果の**因果関係**を、表に書き分け、整理しておくと、相違点や問題点を明確化できる。 |
| **思考マップ、KJ法（マインド・マップ　コンセプト・マップ）** | 思いついたことをつなげ、マップを描くことで事柄の**関連性**や**階層性**がわかり、漠然とした思考を整理できる。第2章の**KJ法**は、図解することで、情報を関連づけ、**論理を組み立てる**ための方法の1つ。 |
| **リスティング（リストアップ）** | 思いついたことをどんどん書き出す。**可視化**することで、何を論点とするか、構想しやすくなる。 |
| **ブレーンストーミング** | グループでアイディアを出し合う。相手とのやりとりの中で、**新たな発想**が浮かび、思考も深まる。 |

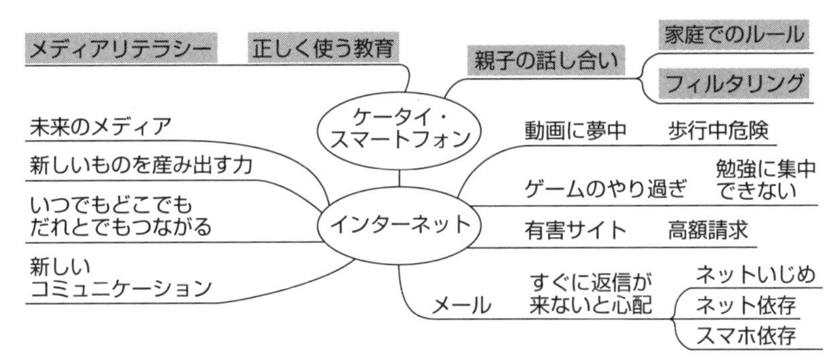


**図4　思考マップ**

左側にケータイ・スマホの可能性を、右側に問題点を示した。アミ掛け部分は解決策。議論やアイディアをまとめるため、FreeMindなどのマップを作成するフリーのソフトウェアを活用してもよい（http://sourceforge.jp/projects/freemind）。

まず、ケータイやスマホの〔優れている点〕〔問題点〕と、〔持たせる〕〔持たせない〕を整理します。

| 優れている点（利便性、機能性など） | 問題点（危険性、弱点など） |
|---|---|
| ・多機能（電話、メール、インターネット、ゲーム、時計、目覚まし、カメラ、電卓、連絡先リスト、音楽を聴く、動画を見る、スケジュール表、メモ帳、録音、お財布）<br>・いつでも連絡できる<br>・世界とつながる<br>・顔を合わせずに話せる<br>・就職活動には欠かせない | ・悪質なインターネット・サイト：出会い系サイト、わいせつ画像、ネット詐欺、ネットいじめ、プライバシーの流出<br>・心理的影響：常に所持していないと不安になる。すぐに返信がないと、心配になる<br>・依存度が高く、自分をコントロールすることが難しい：ゲームのやりすぎ、ネットの使いすぎ |

| 持たせる | 持たせない |
|---|---|
| ・塾のお迎えなど連絡がすぐでき、便利<br>・GPS 機能で居場所がわかり、安全<br>・友だちが持っているから。持っていないと仲間外れにされる<br>・将来的には必要だから、小学生の頃からネット環境に慣れ親しむことが必要<br>・フィルタリングを設定すれば、使い方を制限できる | ・ゲームのやりすぎ→学力低下<br>・ネットの使いすぎ→高額料金請求<br>・小学生はまだ判断力がないから、悪質サイトによる被害者や加害者になる場合も考えられる<br>・直接的なコミュニケーションが大事<br>・塾通いもしていないし、必要性がない<br>・電磁波の影響が心配 |

〔持たせる〕

仲間外れはかわいそう。安全のためにも必要

〔持たせない〕

ゲームのやりすぎで勉強しないのもちょっと……。悪質サイトかどうかの判断も難しいし……

あなたが小学生の親だとしたら、子どもにケータイやスマホを持たせるか、持たせないか、限定条件つきか、どの立場を取るでしょうか。その理由、補足事項、代案、条件などを整理してみましょう。

| あなたの立場 | 理由・補足・代案・条件 |
|---|---|
| 持たせる | 塾や習い事の際、居場所が確認できて安全安心 |
| 持たせない | 悪質サイトなど小学生では判断は難しい |
| 限定条件つき | 使用時間や使途を話し合い、条件つきで使わせる |

## ◉ 自分の経験は意見を裏付ける根拠となるか

具体的事例は意見の根拠とすることができます。しかし、自分の経験だけでは客観的な根拠とは言えないでしょう。それではどうすればよいのでしょうか。新聞などの事例であれば説得力は増します。

## ◉ 信頼できる資料をデータベースで調べる

新聞、書籍、論文など信頼できる資料を、大学図書館のデータベースを使って調べましょう。また、**文部科学省、総務省、厚生労働省**のホームページには、**小中高生**のケータイやスマホの使用時間のデータなどが掲載されています。下記の表5に、「高校生の制服」や「ケータイ・スマホ」の課題の検索に役立つデータベースをまとめました。

まずは「ステップ2　調べる」を読み、データベースの使い方を学びましょう。検索窓に入れるキーワードは言葉の言い換えや組み合わせを工夫すると、調べたい情報を手に入れることができます。

表5　課題に役立つデータベース一覧

| | |
|---|---|
| 書籍 | OPAC（オパック：蔵書目録） |
| 新聞 | 聞蔵Ⅱ（朝日）、日経テレコン21（日経）、ヨミダス（読売）、毎索（毎日） |
| 論文 | Google Scholar, CiNii（サイニイ）→機関リポジトリやJ-STAGE（ジェイステージ）で論文のPDFをダウンロードできる |
| HP | 文部科学省、総務省、厚生労働省など |

## ステップ２　調べる

### ◉ 大学図書館を活用して、情報検索の達人になる

自分の感想や経験によって主張を裏づけることもできますが、より説得力のある主張をするためには、主観的な感想や自分の経験だけでなく、主張を裏づけるための客観的な根拠が必要です。そのためには、信頼できる情報を多面的に調べなければなりません。

たとえば、Wikipedia（ウィキペディア）（無料で閲覧できる百科事典サイト）は、おおよその情報を即時に把握し、見当をつけるにはとても便利です。しかし、信頼できない情報や書きかけの情報が含まれている場合もあり、ほかの方法で信頼できる情報を調べる必要があります。

大学図書館のデータベースは、高額の料金を支払っており、学内のパソコンやアカウントからのみアクセス可能で、信頼できるさまざまな情報を得ることができ、地域の図書館とは異なります。

では、何を、どうやって調べたらいいのでしょう。まずは、授業で出された課題をよく理解してください。次に、自分が知りたい情報を入手するためには、何を調べればよいのか、見当をつけましょう。図書館には書籍だけでなく、事典、辞典、新聞、一般雑誌、学術雑誌、白書、Web など、情報を探し出すことができるさまざまなツールがあります。

レポートの課題が、携帯電話やスマートフォンに関する最近の話題であれば、**流動的で速報性のある情報**として、新書・新聞・一般雑誌を調べるとよいでしょう。インターネットを利用する場合には、出所（著者名、サイト名など）を確認できる情報を精選してください。

それに対し、ある学問分野の専門的な内容に関する課題であれば、関連する領域の先行研究（すでに発表された研究）を調べる必要があります。国立情報学研究所 GeNii（ジーニイ）の CiNii（サイニィ）を使えば学術雑誌論文を、OPAC（オパック）を使えば専門書を探すことができます。こうして**体系的で信憑性のある**

流動的・速報性のある情報

| | | |
|---|---|---|
| 現在 | ソーシャルメディア | Twitter、Facebook、ブログ |
| | ウェブサイト | 検索エンジン：Google、Yahoo!<br>Yahoo! 百科事典、各省庁のホームページ |
| | テレビ | 放送ライブラリー |
| 1日後 | 新聞 | 新聞社データベース：聞蔵Ⅱ、毎索<br>日経テレコン21、ヨミダス歴史館 |
| 1週間後 | 週刊誌<br>一般雑誌 | 出版社・書店のサイト：Amazon など |
| 数カ月後 | 学術雑誌 | CiNii Articles、Google Scholar<br>J-STAGE、magazineplus<br>国立国会図書館 NDL-OPAC |
| | 図書 | OPAC、Google Scholar<br>CiNii Books、Amazon<br>Webcat Plus、新書マップ<br>出版社・書店のサイト |
| 1年後 | 白書 | 国立国会図書館サーチ |
| 数年後 | 統計資料 | 総務省統計局、OECD iLibrary、e-STAT |
| | 科研報告書 | KAKEN、CiNii Books |
| | 辞典・事典類 | OPAC、JapanKnowledge |

体系的・信憑性のある情報

**図5　資料の種別とデータベースの選択**

KITIE（Keio Interactive Tutorial on Information Education：レポートの書き方）を参考に作成した（http://project.lib.keio.ac.jp/kitie/classify/info-cycles/02.html）。

**情報**を収集しましょう。

さらに、実際に図書館に出向き、書架に並んでいる本を閲覧すること（ブラウジング）も大切です。本の背表紙（題名）を眺め、実際に手にとって目次を見れば、自分にも理解できるかどうか、見当をつけることができます。また、**蔵書目録**（OPAC（オパック））によるキーワード検索やパソコンの画面ではわからない、専門分野の情報を体系的に把握することができ、たまたま手にした本から予想外の発見をすることもあります。

また、図書館の専門スタッフが質問に応えてくれる**レファレンスサービス**がありますので大いに活用しましょう。レポートを書くことは、調べることから始まります。提出されたレポートの**引用文献を見るだけで、先生は、それがどの程度のレベルのレポートなのかわかります**。図書館を活用し、情報検索の達人になることをめざしましょう。

## ◉ 情報収集の手順

資料の調べ方は、テーマの種類によって異なります。レポート作成のどの段階で、どの資料を使って調べたらよいでしょうか。

図８は、時間軸に沿って、資料を左側に、その資料を調べるのに必要なツールを右側に記したものです。上から下へ**流動的で速報性のある情報**から**体系的で信憑性のある情報**を調べるのに適した資料が順番に並んでいます。この中からレポート課題のテーマに合った資料を選択しましょう。

本書では、情報収集を次の３つの手順で行うことを提案しています。

**情報収集の３つの手順**

① **下調べ**　：テーマに関する概略的な知識を得る。
② **文献検索**：本格的に情報を収集し、論点を見つける。
③ **文献入手**：主張を裏づける証拠資料を入手し、読み込み、足りなければさらに調べる。

### (1) 下調べ：キーワード検索は言い換え・組み合わせを

下調べでは、辞書、事典、辞典などを使って最初に調べますが、課題（p.36）は携帯電話やスマートフォンに関することであり、最新の情報を必要とするため、最も簡便な方法としてまずは検索エンジンにキーワードを入力してみましょう。**入力するキーワードの表現や言葉の組み合わせによって、収集できる情報は異なってきます**。たとえば課題の一つ目では、「ケータイ・スマホの利用者」を「小学生」としていますから、Google か、Yahoo! の検索窓に「小学生　スマホ」「子ども　ケータイ　メール」「小中学生　ケータイ　親」と、２つ以上の言葉を１文字分のスペースを空けて入力してみましょう。そうすると、ある程度、テーマに関する情報の概略をすぐに集めることができます。

「子ども、子供、小学生、児童、小中学生、中学生、中高生」「携帯電話、携帯、ケータイ、メール、スマートフォン、スマホ」など表現を変えたり、複数の言葉を組み合わせるなどして、１文字分のスペースを空けて入力すれば、簡単に絞り込み検索（AND 検索）ができます。

また、Google Scholar はより専門的な情報を収集でき、便利です。

### (2) 文献検索：テーマに合うデータベースを用いる

しかし、検索エンジンの中には、信頼できない情報も含まれています。そこで、信憑性のある情報として**新聞記事**を探してみましょう。図書館のデータベースを利用して、**朝日新聞は聞蔵Ⅱ、読売新聞はヨミダス歴史館、毎日新聞は毎索、日本経済新聞は日経テレコン 21** で調べます。

**書籍を検索するには、学内の図書館の蔵書目録**（OPAC（オパック）：Online Public Access Catalog）が便利です。次に、学外の蔵書検索として、**国立情報学研究所 GeNii（ジーニイ）** の **WebCat Plus（ウェブキャット プラス）** も試してみましょう。WebCat Plus はキーワード検索ができるだけでなく、興味ある文章を貼り付けると関連する図書を探し出してくれる連想検索ができます。

また、書籍の中でも、新書はコンパクトに新しい情報がまとまっているので、今回のようなレポート課題にはお勧めです。**新書マップ**などのデータベースを利用すると、最新の情報を入手できます。

### (3) 文献入手：印刷して読み込む

さらに、証拠となる信頼性のあるデータを調べたい場合は、日本語で読める学術雑誌論文のデータベースCiNii（サイニィ）を使って、興味のある論文をダウンロードし印刷して読んでみましょう。その論文の引用文献リストを使って、さらに関心のあるものを調べていきます（芋づる式検索）。図8で適切なツールを選択し、白書、統計資料など主張を裏づける説得力のある資料を収集してください。

## ◉ 情報収集で大切なこと

### (1) 「広く調べる」と「論点を絞り込む」を繰り返す

文献を調べていくと、子どもの年齢や発達段階によって携帯電話やスマートフォンの利用状況が異なること、親と子の利用に対する考え方の違い、携帯電話やスマートフォンの使い方しだいでは、子どもが犯罪の被害者になるだけでなく、加害者となっているケースもあるなど、複雑な事情がわかってきます。さらには家庭内でのルールを決めるだけでなく、学校や教育委員会の方針まで、立場によってさまざまな見解があることもわかってくるでしょう。

このようにして調べていくほど、情報が拡散し、自分はどういう立場で何を主張したらよいのかわからなくなったり、文献を読めば読むほど、自分の考えと著者の考えとの区別がつかなくなったり、という経験もあるでしょう。

レポートをまとめていく際には、「広く調べる」と「論点を絞り込む」を繰り返し、自分は何を書くことができそうかを自分自身に問いかけてください。これによって主張が明確になっていきます。

### (2)　見通しと見切りをつける

一方で、ある程度の見通しと見切りをつけることも大切です。レポート提出には期限がありますから、これまでに調べた資料で書こうと決断することも必要です。

### (3)　巧みに調べる、信頼性のある情報を選択する

課題には、文献資料を３点以上調べ、引用するという条件がついています。１、２冊の書物や論文だけに頼ると、その著者の意見を客観的に評価することができなくなるからです。つまり、批判的に検討することが難しくなるのです。複数の意見を多面的に検討することで、自分自身の意見を述べ、新たな発想ができるようになります。

また、検索エンジンから得た情報は、誰が書いたのか、いつ書き換えられたのか、信頼できる証拠に基づく発言なのか、不明です。図書館の機能を巧みに活用して検索し、信頼できる資料を集めましょう。

**【Work 3.3】情報の検索と整理、批判的に検討するとは**
**(2)　小中学生のケータイ・スマホ（➡ pp.127～128）**

(1)　p.32 の〔宿題〕について調べた情報を記入しましょう。
(2)　小学生と中学生とでは成長にかなりの差があります。小学生と中学生に区別し、ケータイやスマホを使用することのメリットとデメリットを、親の立場から考えてみましょう。グループで話し合い、記入しましょう。
(3)　意見の根拠を示し、異なる意見に対して批判的に検討してみましょう。補足事項や条件も考えてみましょう。また、低学年と高学年との対応の仕方の違いも考慮して、多様な視点からどうしたらよいかを考えてください。

**〔宿題〕**次回は、「高校生の制服」と「小中学生のケータイ・スマホ」に関する２つのテーマのうち、どちらか１つのテーマを選択し、論点を定め、主題文を書きます。p.39 の表５を参照し、これまで調べた資料に加え、さらに調べた資料をスマホに保存してきてください。

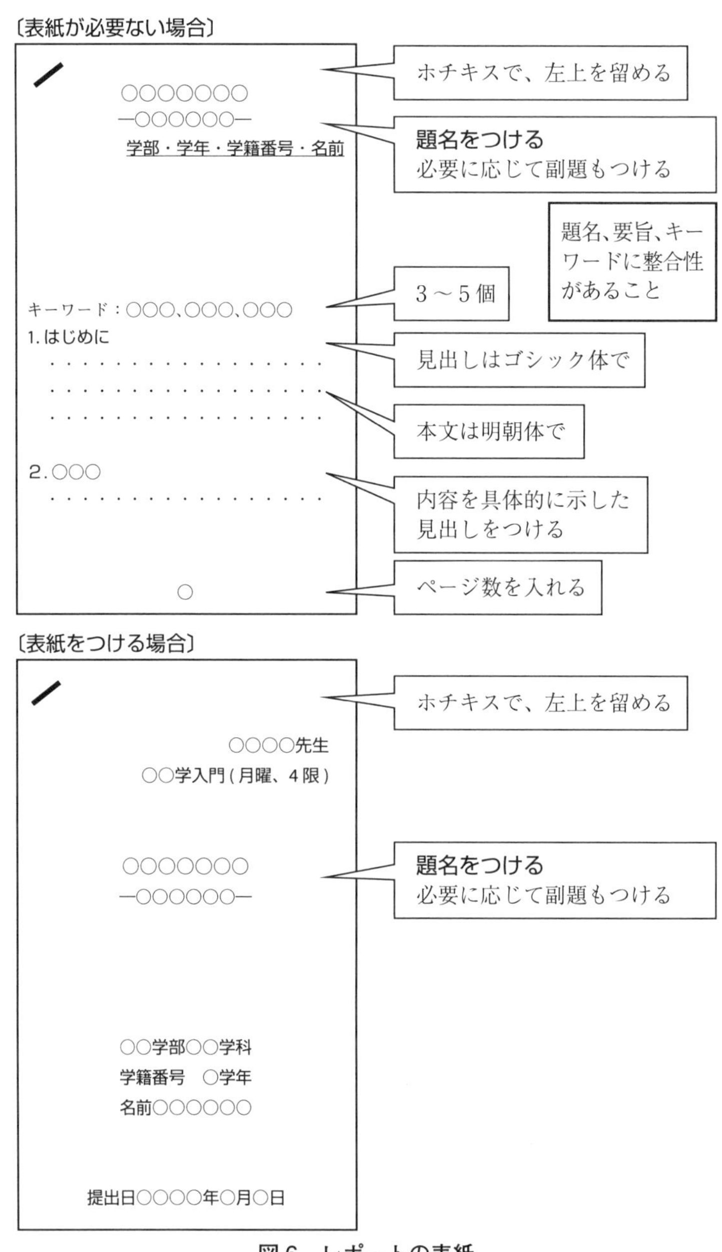
〔表紙が必要ない場合〕
○○○○○○○○
―○○○○○○○―
学部・学年・学籍番号・名前
キーワード：○○○、○○○、○○○
1. はじめに
2. ○○○
○
ホチキスで、左上を留める
題名をつける
必要に応じて副題もつける
題名、要旨、キーワードに整合性があること
3～5個
見出しはゴシック体で
本文は明朝体で
内容を具体的に示した見出しをつける
ページ数を入れる
〔表紙をつける場合〕
○○○○先生
○○学入門（月曜、4限）
○○○○○○○○
―○○○○○○○―
○○学部○○学科
学籍番号　○学年
名前○○○○○○○
提出日○○○○年○月○日
ホチキスで、左上を留める
題名をつける
必要に応じて副題もつける

図6　レポートの表紙

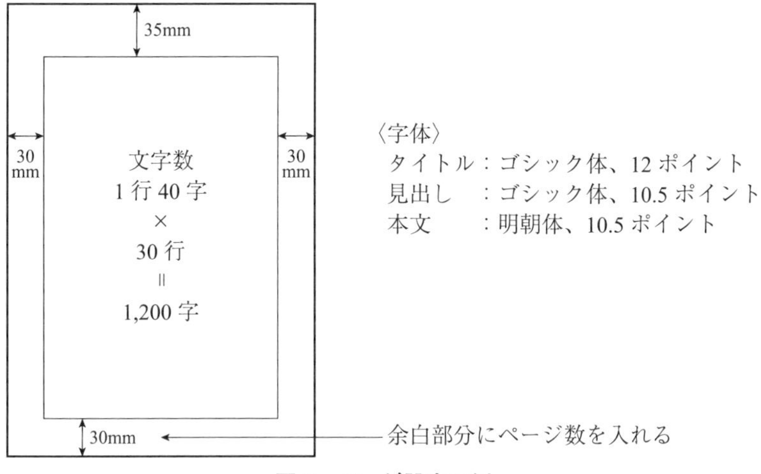


**図7　ページ設定の例**

| 序論 | 1. はじめに |
|---|---|
| 本論 | 2. ○○○○○○○<br>3. ○○○○○○○<br>4. ○○○○○○○ |
| 結論 | 5. おわりに |

具体的な内容を表す見出しをつける

**図8　基本的な5章構成**

| 序論 | 問題の背景と目的、主張の要点 |
|---|---|
| 本論 | 主張を裏づける証拠の提示<br>異なる立場の主張の批判的検討<br>自分の主張の限界、補足や代案 |
| 結論 | 主張の妥当性の確認、今後の課題 |

**図9　論証型レポートの構成要素**

〈基本フォーマットを用いてスラスラ書ける〉

〇〇〇〇〇〇 ← メインタイトル

―〇〇〇〇〇〇― ← サブタイトル

〇〇学部〇年　学籍番号：〇〇〇〇　名前：〇〇〇〇

キーワード：〇〇〇〇〇、〇〇〇〇〇、〇〇〇〇〇 ← 3～5個

**1. はじめに**

（近年、最近、現在、）＿＿＿＿＿＿＿＿＿＿が問題となっている。

＿＿＿＿＿＿＿＿＿については、さまざまな立場から、多様な意見がある。〇〇（2020）によれば、＿＿＿＿＿＿＿＿＿＿が明らかとなっている。〇〇（2018）は、「＿＿＿＿＿＿」と述べ、＿＿＿＿＿を指摘している。

こうした現状（調査結果）を見ると、＿＿＿＿＿がわかる。一方で、＿＿＿＿＿も指摘されている。 ← 批判的に検討する

なぜ、＿＿＿＿＿なのか、明らかではない。 ← 問いを立てる

そこで、このレポートでは、＿＿＿＿＿について、＿＿＿＿＿を検討することを目的とする。

**2. 〇〇〇〇〇** ← 内容を示す見出しをつける p.55参照

〇〇（2020）によれば、「＿＿＿＿＿（直接引用）」と述べている。また、〇〇（2018）は、＿＿＿＿＿（間接引用）＿＿＿＿＿と主張している。さらに、〇〇（2019）は、＿＿＿＿＿＿＿＿＿を指摘している。

---

まず**見本レポート**（p.60～63）を読み、論理の流れ、接続詞、文末表現、引用法を確認しよう

1. 問題の背景、論点を、さまざまな見解を引用しつつ、指摘したうえで、目的を述べる

- **〇〇新聞〇年〇月〇日付けによれば**
- **㊔㊕（2018）によれば**
- **〇〇研究所（2020）の調査によれば**

2. 主張を裏づける信頼性のある証拠を引用して示す

- **直接引用**　「原文のまま」と述べている
- **間接引用**　原文の要約と述べている

**3.** ○○○○○

一方、○○（2020）は、＿＿＿＿＿＿＿＿という見解を示している。また○○（2018）も「＿＿＿＿＿＿＿＿＿＿＿＿」と述べている。しかし、＿＿＿＿＿＿＿については十分に考慮されていない。

**4.** ○○○○○

こうしたさまざまな問題を考慮すると、＿＿＿＿＿＿の必要もあるだろう。たとえば、＿＿＿＿＿＿＿＿＿＿＿＿も考えられる。

同様に、＿＿＿＿（2019）も＿＿＿＿＿＿＿＿を指摘している。

**5. おわりに**

このレポートでは、＿＿＿＿＿＿＿＿を取り上げ、＿＿＿＿＿＿について検討した。その結果、＿＿＿＿＿＿＿＿＿＿＿＿＿＿が明らかとなった。

しかし、＿＿＿＿＿＿＿＿＿＿＿＿＿＿＿については明らかにできなかった。

今後の課題は、＿＿＿＿＿＿＿＿＿＿＿＿＿＿＿＿＿＿＿＿＿＿。

**引用文献**


著者名（2020）『書　名』○○○○　出版社名.

著者名 (2020)「論文名」『学術雑誌名』 ○巻○号 , pp. ○－○.

○○新聞 (2020) ○月○日付朝刊 「見出し」.

○○○省「見出し」(https://www. ○○)（2020年○月○日閲覧）.


**文字数の配分の目安**

| | |
|---|---|
| 題名＋引用文献リスト | 10% |
| 序論（はじめに） | 30% |
| 本論 | 50% |
| 結論（おわりに） | 10% |

3. 前節の 2. とは異なる立場の主張を批判的に検討する

4. 自分の主張の限界　補足や代案

5.「おわりに」の書き方
- **目的の確認**
- **結論の提示**
- **明らかにできなかったこと**
- **今後の課題**

**引用文献リストの書き方**

p.63 を必ず参照

- 書籍
- 論文
- 新聞
- ホームページ

URL と閲覧した日付も記入する

## ステップ３　組み立てる

調べた情報、自分の頭の中にある知識をもとに、レポートの構造を組み立てていきましょう。レポート作成で大切なことは、**情報検索**と**論理構成**、**主張**と**根拠**を明確に示すことです。やってはいけないことは、キーワードを検索窓に入れて**コピペ**したり、１、２冊の本に頼って写したりして書くことです。引用のルールを学び、自分の言葉と他者の言葉を区別して書きましょう。

### ◉ 主題文―はじめに―アウトラインの順序で組み立てる

まず、論点を絞り込んでいくことを目的として、主題文を書きます。主題文[(9)]とは、レポートで自分が主張したいことを簡潔に述べた文章です。アウトライン（図 10、p.55）は、レポートの構成を示した骨組みのことです。最初にアウトラインを作成する方法が一般的なので、主題文を書くのは難しいとか、アウトラインを作成する前に「はじめに」を書くことに違和感を持つ人もいるかもしれません。

実際に、ある程度、レポートを書いた経験があって、レポートの論理構成が頭に入っているのであれば、キーワードを階層的に並べて、アウトラインを書くことも難なくできるでしょう。

しかし、レポートを書くことが初めてで、また専門書や論文も読んだことがないという人にとっては、論理を構成するというイメージがわからず、キーワードをどう並べて階層化するのか、あるいは、見よう見まねでアウトラインを作成しても、その後、どう文章化したらよいのか、何から書き出したらよいのか、その段階でつまずいてしまいます。

---

(9)　木下是雄（1994）『レポートの組み立て方』ちくま学芸文庫.

## ◉ 主題文を書く

主題文は、レポートの目的を頭の中で整理し、それを文章にすることによって、論理を組み立てていくプロセス、考えるプロセスを支援してくれる役目を果たします。主題文を書き直すうちに、自分はこのレポートで何を主張したいかがわかってきます。

それでは、主題文を書いてみましょう。論点の絞り込み方、論証するための４つの構成要素を学んでいきましょう。

**＜主題文の構成要素＞**

① 論点を提示し、その問題の背景を説明する
② 根拠に基づき、自分の意見を述べる
③ 自分の意見とは異なる意見を根拠に基づき批判する
④ 結論として、自分の意見を明確に主張する

**＜フォーマット＞**

① ＿＿＿＿＿＿＿＿＿＿＿＿＿＿＿＿が問題となっている。
② ＿＿＿＿＿＿＿＿＿＿＿＿＿＿＿べきだ（べきではない）。
③ 一方、＿＿＿＿＿＿＿という意見もあるが、＿＿＿＿＿＿。
④ ＿＿＿＿＿＿＿＿＿＿＿＿＿＿＿＿＿と主張する。

**〈主題文の例〉**

網掛けしている部分が定型的な表現です。調べた情報をもとに、定型的表現を用いて書きます。肯定的立場、否定的立場、限定的立場のうち、どの立場でレポートを書くか、考えながら読んでみましょう。

次の例は、「小学生にケータイを持たせるか」をテーマとした主題文です。提出課題では、対象を、小学生、小中学生、中学生のいずれかとして下さい。

◆肯定的立場：持たせる
①携帯電話はインターネットと接続することで問題が複雑になってきている。②携帯電話が普及した現代社会では、小学生の頃からメディアを使ったコミュニケーションに親しませるべきだ。③トラブルから守るため、持たせないという考え方もあるが、公衆電話も少なくなり、現実的ではない。④携帯電話を使ってコミュニケーションのルールについて学ばせる、積極的な教育姿勢が必要だと考える。(177 文字)

◆否定的立場：持たせない
①ゲームなど有害サイトによる被害者が増えている。②判断が未熟な小学生は犯罪に巻き込まれる危険性が高く、被害を未然に防ぐため、携帯電話は持たせるべきではない。③しかし、公衆電話も少なくなり、携帯電話がないと連絡不能のこともある。④代案として、双方向型通信ではないが、自動改札通過情報を保護者にメールで送信するICカードを持たせるなど、安全対策が必要だと主張する。(175 文字)

◆限定的立場：条件つきで持たせる
①子どもたちの携帯電話利用状況は、通話時間が減少する一方で、メールの利用回数や時間は増加している。②小学生には、用途や時間に制限を設けるべきだ。③主体性を尊重する意見もあるが、小学生は自己管理が十分でないことから犯罪に巻き込まれる危険性もある。④ネット接続不可にする、フィルタリングを設定する、リビングに置くなど、親子が納得のいく条件設定が必要だと主張する。(174 文字)

## ◉「はじめに（序論）」を納得いくまで書き直す

主題文を書いたら、それに肉付けしていくイメージで、調べた資料を引用しながら「はじめに」を書きます。「はじめに」を考えては**書き直すことを繰り返す**うちに、レポートの目的や全体像、自分の主張したいことが明確になっていきます。「はじめに」の**基本フォーマット**（p.53）を使い、**見本レポート**の「はじめに」（pp.60 ～ 61）、**自己点検評価シート**（pp.64 ～ 65）の**太枠**で囲んだ「はじめに」の評価項目と評価3を参考にして書きます。

## ◉「はじめに（序論）」の書き方

**＜「はじめに」の構成要素＞**

① 問題背景、論点の提示

② 論点に関する多様な意見（情報）の提示

③ ②の意見とは異なる意見の批判的検討

④ 問いを立てる

⑤ 目的の明示

**＜フォーマット＞**

題名：　______________________________

キーワード：3～5個

①（近年、）____________について、____________が問題となっている。

② ○○（○○）によれば、______________________が明らかとなっている。

○○（○○）は、________________と述べ、_________を指摘している。

③ しかし、______________________については明らかにされていない。

④ なぜ、______________________________なのか。

⑤ そこで、このレポートでは、_____について、___を検討することを目的とする。

## ◉ アウトラインを書き、「本論」の組み立てを考える

アウトラインの本論は、図10のように見出しをつけ、章立てを階層化し、論理構成を示します。論理の流れがひとめでわかる具体的な見出しをつけましょう。レポートに書き慣れていたら、主題文は書かずに、アウトラインの作成に入り、執筆するというやり方もあります。

## ◉「おわりに」（結論）の書き方

p.49「5．おわりに」の構成要素と基本フォーマットを参考に、見本レポートと照らし合わせて書きます。

## ステップ4　執筆する

**基本フォーマット**（pp.48～49）を使い、**見本レポート**（pp.60～63）をよく見て、執筆してください。提出期限をにらみ、このあたりで書こうと**見切り**をつけ、**見通し**を持って、早めに執筆に取りかかりましょう。

まず、執筆規定を確認し、ページ設定をし、レポートの体裁を整えます。図6（p.46）、図7（p.47）に、ページ設定の例、表紙をつける／つけない書き方の例、レポート冒頭に要約（抄録）を載せる例を示したので参考にしてください。

それでもうまく書けそうになかったら、主題文、アウトラインまたは「はじめに」を見直します。**考えては書き直すという往復運動を粘り強く繰り返す**ことが大切です。

| | |
|---|---|
| 序論<br>・問題の背景と目的<br>・主張の要点<br>決定版主題文の限定的立場（p.52）の①と②を使う | 1. はじめに<br>子どもたちの携帯やスマホ利用頻度は、年々高くなっている。このレポートでは、小学生には、用途や時間に制限を設けて、使わせるべきだと主張する。 |
| 本論<br>・主張を裏づける信頼ある証拠の提示<br>・異なる立場の主張の批判的検討<br>・補足や代案<br>決定版主題文の②と③と④を使って具体的な見出しをつける | 2. メールを多用した新しいコミュニケーション<br>通話時間が減少する一方で、メールの利用回数や時間は増加している。<br>3. 小学生では自己管理が不十分<br>自主性を尊重し自由に使わせるという意見もあるが、小学生は自己管理が十分でないことから犯罪に巻き込まれる危険性もある。<br>4. 条件つきで使用させる<br>フィルタリングを設定するなどルールを決めて使う。 |
| 結論<br>・主張の妥当性の確認<br>・主張の限界<br>・今後の課題<br>「1. はじめに」と決定版主題文の④を使ってまとめる | 5. おわりに<br>携帯電話を使ったコミュニケーションは変化していく。親子で話し合い、使用のルールを、その都度決めていくことが必要だが限界もある。今後の課題は、親子間の認識のズレを互いに理解し、どう対処していくかにある。 |

具体的な内容を表す見出しをつける（→ 2.〜4. の見出し）

図 10　論証型レポートのアウトラインの例

pp.60 〜 63 は、この図のアウトラインに沿って執筆した論証型レポートの例です。

## ◉ コピペはドロボウ！

レポートは作文とは違い、きちんと文献を調べ、自分の主張を述べなければなりません。レポートの書き方の重要なルールは、自分の言葉と他者の言葉を明確に区別することです。他者の言葉、つまり、**文献に書かれたことや情報検索ツールを使って調べたことと、自分の主張（言葉）を区別して述べるルールが引用です**。コピペは、他人の主張（言葉）をあたかも自分が書いたようにふるまうことや、単に引用の形式を示せばよいというまやかしは、他者のアイディア（発想や発見）を盗むドロボウ（剽窃（ひょうせつ）、盗用（とうよう））です。著作権の侵害でもあり、単位や学位の剝奪（はくだつ）といった、厳罰に処せられます。きちんとした倫理観を持ち、正しく適切な引用を行いましょう。

## ◉ 引用の種類と方法

引用(10)には、直接引用と間接引用があります。

（1）**直接引用**は、著者の述べた文章をそのまま、まったく変えずに引用し、その部分を「　」で括ります。ただし、引用文が句点［。］で終わっていても、句点はつけません。著者名は名字だけ書き、続けて出版年を（　）の中に入れます。

> 佐伯（1986）は「すぐれた研究者の研究の動機というのは、どこかで日常性の世界としっかり結びついており、学問の専門性と日常性をいったり来たりできるチャネルがしっかりしているのである」と述べている。

（2）**間接引用**では、「　」は使わず、本文の内容を要約して引用します。

> 佐伯（1986）は、優れた研究者の研究動機とは、日常性の世界と学問の専門性がしっかり結びつき、その間をいったり来たりできることにあると述べている。

---

（10）　引用の詳細については注（5）の前掲書（井下、2019）pp.104-112 を参照のこと。

レポート本文の最後には必ず**引用文献リスト**を記載し、**出典**を示しましょう。本文中の引用の仕方や、レポート本文の最後に記載する引用文献リストの作り方は、見本レポートを参照してください（pp.60 ～ 63）。



## ステップ5　点検、推敲する

(1)　点検する

書く前に**自己点検評価シート**（pp.64～65）を見て確認し、書いたあとにも点検に使い、納得がいくまで粘り強くチェックしてください。

(2)　推敲する

完成まで、何度も**プリントアウト**して読み返し、推敲してください。パソコンの画面では気づかない間違いやレポートの全体像がわかります。

(3)　**提出期限を厳守する**

スケジュールを立て、早めに段取りを整え、期日は守りましょう。

**【論証型レポート　提出課題】**

「小学生（または小中学生、中学生）のケータイやスマホの利用実態と問題」「高校生の制服着用問題」のいずれかを選択し、資料を調べ、問題背景や実態を明らかにし、論点を明確にしたうえで、信頼性のある根拠を示して、自分の意見を2,500 ～ 3,500字程度（A４用紙40字×30行＝1,200字、２～３枚程度）で述べなさい。ページ設定はp.47図７を参照。

はじめに（序論）、おわりに（結論）を含め、レポートを５章で構成すること。本論の３つの章には、内容を表す適切な見出しをつけること。本文中で引用元（出典）を明確に示すこと。

レポートの最後に引用文献一覧を明記すること。引用文献は５点以上。ネットの情報だけでなく、書籍・新聞記事・学術論文・省庁のホームページから、いずれかを３点以上引用すること（p.39の表５を参照）。ネットで検索した情報はURLと閲覧日を明記すること。

## ◉ よい題名とは

評価者である先生は、題名を見ただけでレポートのレベルがわかります。レポートの題名は小説の題名とは異なり、レポートの内容の要約と考えてください。

たとえば、メインタイトルを「小中学生のLINE利用がコミュニケーションに及ぼす影響」として、何に焦点を当てるのかを明らかにし、サブタイトルに「肯定的側面からの検討」として、問いを分析する方法を表せば、内容が一目でわかります。制服に関するレポートの題名の例としては、「高校生の制服と校則の問題——自主性を主張する取り組みから考える」などがあげられます。

題名とキーワード、レポートの内容との整合性にも留意してください。

**【Work 3.4】**（➡ pp.129～130）

(1)　次の2つのテーマ「①高校生の制服着用を巡る問題」、「②小学生（小中学生、中学生）のケータイ・スマホを巡る問題」どちらか1つのテーマを選択し、主題文を書きます。自分の意見とは異なる意見に対して批判的に検討しつつ、論証する力を身につけていきましょう。p.52の主題文の例を参考に、自分のオリジナルの論点を見出し、自分の立場を明確にしてから、200字程度の主題文を書きましょう。

(2)　なぜ、引用する必要があるのか、p.45の（3）、p.56の「コピペはドロボウ！」で確認し、引用の方法は、pp.56～57を見て記入しましょう。

(3)　主題文をもとに、「はじめに」の構成要素・フォーマット（pp.48～49）・見本レポート（pp.60～63）を用いて書きましょう。納得いくまで考えて書き直しましょう。

(4) アウトラインの例を見て、論理の組み立て方を確認し、本論（第2、3、4章）の見出しを考えてみましょう。

(5)「おわりに」の構成要素とフォーマットを用いて、結論をまとめましょう。

**【Work 3.5】自己点検評価シートを使って評価する、発表する（➡ pp.139～141）**

(1)　自己点検評価シートを使って、２人１組でレポートの評価をしましょう。

(2)　自分でレポートを書いて見て難しかったことと、自分のレポートで評価できる点を記入しましょう。

(3)　６・８人１組になって、レポートの発表をしましょう。

発表では、題名、キーワードを述べ、はじめにを用いて、問題と目的を簡潔に説明しましょう。そのあとで、本論の見出しを紹介し、結論と今後の課題を短くまとめて発表しましょう。

よく書けている人を１名選んでください。さらに、選んだ理由についてコメントする人を１名選んでください。

(4)　グループごとに発表してもらいます。発表後に、より説得力あるレポートは何が優れているかをグループで話し合い、簡潔にポイントを３点あげ、結果をクラスで共有しましょう。

見本レポート

# 論証型レポートの例

## 子どもの携帯電話利用実態と改善策の提案
### ――小学生からメディアリテラシーを育む――

井下　千以子

キーワード：携帯電話、小学生、家庭のルール、メディアリテラシー教育

題名はレポートの顔であり内容の要約。キーワードとの整合性に注意

キーワードは、3～5個程度

### 1．はじめに

具体的な見出しにしてもよい。たとえば、「問題の背景」「問題と目的」

近年、携帯電話はインターネットとつながることで、もはや電話というより、メールやゲーム、カメラ、お財布、電車の乗換検索など、パーソナルメディアへと進化した。その便利さと引き換えに、携帯電話利用が、子どもの健全な発達に影響を及ぼしている問題についても、さまざまな議論が展開されている（飽戸, 2010）。

論点を明示

内閣府（2011）が実施した「平成22年度青少年のインターネット利用環境実態調査」では、携帯電話の所有率は、小学生では21%、中学生では49%、高校生では97%であることが明らかとなった。

また、携帯電話を持つ子どものインターネット利用率は、小学生85%、中学生96%、高校生は99%を超えている。それに伴い、携帯電話のフィルタリング利用率は、小学生で約8割、中学生で約7割、高校生で約5割で、前年度と比較すると、いずれも10%以上増加しているという。さらに、購入時期のフィルタリング利用率は、8割近くまで普及していることがわかった。

下線部は、いずれも、内閣府が実施した調査からの**間接引用**であることを示した文末表現

こうした調査結果を見ると、携帯電話を持つ子どものほとんどがインターネットを使用していることがわかる。また、携帯電話の普及に伴い、フィルタリング利用率も増えていることから、保護者の携帯電話利用問題への関心の高さだけでなく、販売時の説明なども徹底してきていることがわかる。

一方で、有害サイトやケータイ依存の問題など、弊害も指摘されている（飽戸, 2010；藤川, 2011）。文部科学省（2009）は、子どもの携帯電話利用に関する調査結果より「小学校の段階から、携帯電話の利用について、適切な教育が望まれる」としている。なぜ、小学生から携帯電話が必要なのか。使用させるのであれば、具体的にはどのような教育が適切か明らかではない。

そこで、このレポートでは、小学生のケータイ利用の実態と改善策を明らかにすることを目的とし、強制的制限ではない、家族や学校で話し合いルールを決め、主体的に使いこなすためのメディアリテラシー教育について検討する。

一方で、しかしなど、**逆説の接続表現**を用いて、**批判的に検討し、問題点を明確に指摘する**

「　」の発言は**直接引用**である

**問題点を指摘し、問いを立てる**

レポートの**目的**

**方法**や**提案**

### 2．メールを多用した新しいコミュニケーション

内容が一目でわかる**見出し**をつける。**ゴシック体**で強調する

いまの子どもたちは、食事中も、勉強中も、入浴中も、友だちとメールをやりとりしている。どこにいても、数分ごとにメールを送り合う。いつも、友だちとつながっていたいという意識があるという（藤川, 2011）。子どもにとって、通話よりメールの方が、ケータイコミュニケーションの中心にあることがわかる。

小学生のうちは通話中心であるが、中学生・高校生と年齢が上がるにつれ、通話に比べ、メールの利用比率は高くなるという。中学生・高校生が学校の部活動の仲間とメールすることが多いのに対し、小学生は学校の外の仲間、塾の仲間とメールをやりとりしているという（向井, 2010 : 260）。

文末に引用を示す場合は（　）の外に句点を置く。引用の箇所を示す場合は、出版年のあとにページ数を入れる

## ３．小学生では、自己管理が不十分か

米国の発達心理学者や児童養護団体の専門家らは、子どもに携帯電話を所持させる時期は、子どもの成熟度レベルや電話を使いこなす能力によって異なるので、親がそれを把握し、子どもと使用するルールを決めるべきだと述べている（*The New York Times*, 2010年6月10日付）。

米国の例と比較し、日本での利用を**批判的に検討**する

日本の場合は、文部科学省の調査（2009）によると、保護者が携帯電話を小学生に持たせた理由では「塾や習い事を始めたから」という回答が最も多く、小学生の携帯利用の背景には、外出時の親との連絡、居場所確認などがあることがわかる。

しかし、携帯電話をよく使う子どもは就寝時間など生活面に留意する必要があることもわかっている（文部科学省, 2009）。ゲームをやりすぎて勉強に集中できない、友人からすぐに返信が来ないと心配になる、家族とのコミュニケーションが少なくなる、生活のバランスを崩すなどの問題点が指摘されている。

しかしを用い、**問題点を指摘**する

すなわち、問題は子どもが自己管理できるか、保護者が子どもの状態やコミュニケーション・メディアとしての携帯電話の機能を十分に理解できるかにある。

すなわちという**帰結の接続表現**を用いて**考察**する

## ４．持ち込み禁止や条件つき使用で問題解決できるか

文部科学省では、平成21年1月に、学校の携帯電話の取扱いについて、小・中学校では、やむを得ない場合を除き原則持ち込み禁止、高等学校では校内での使用制限等を行うように、方針を明確に示した。

しかしを用い、**問題点を指摘**する

しかし、学校への携帯電話の持ち込みを禁止しても、ネット上のいじめや有害情報から子どもを完璧に守ることはできない。したがって、小学校の段階から情報モラルを教え、主体的にメディアを使いこなせるよう、子と親にも

したがってと帰結の**接続表現**を用いて**考察**する

指導すべきだと考える。保護者は子どもと話し合い、利用実態を把握し、フィルタリングの利用や家庭でのルールを決め、了解のうえ、条件つきで使わせる必要があるだろう。

下線部は、自分の意見であることを明確に示すための文末表現

### 5．おわりに－小学生からのメディアリテラシー教育－

おわりにではレポートの**成果**（明らかになったこと）と**今後の課題**を述べる

子どもの携帯電話利用が、コミュニケーション・メディアへと進化することで、友人や家族関係の変化、生活面でのアンバランスなど影響が出ていることがわかった。今後は、強制的に規制するだけでなく、小学生の頃から健全にメディアに親しむ環境を整えていく必要がある。課題は、新しいメディアを主体的かつ創造的に使いこなすためのメディアリテラシー教育を積極的に推進することにある。

この引用文献リストは英文の資料もあるのでAPAスタイル*に倣いアルファベット順とした
*アメリカ心理学会による学術論文の書式

### 引用文献


飽戸弘（2010）「ケータイ社会の現在と将来」NTTドコモモバイル社会研究所編『ケータイ白書2011』中央経済社, pp.1-3.

藤川大祐（2011）『学校・家庭でできるメディアリテラシー教育：ネット・ケータイ時代に必要な力』金子書房.

文部科学省（2009）「子どもの携帯電話等の利用に関する調査結果について」（http://www.mext.go.jp/b_meru/houdou/21/05/1266484.htm）（2012.12.08閲覧）.

向井愛子（2010）「子どものケータイ利用」NTTドコモモバイル社会研究所編『ケータイ白書2011』中央経済社, pp.257-261.

内閣府（2011）『平成23年版 子ども・若者白書』「平成22年度青少年のインターネット利用環境実態調査」（http://www8.cao.go.jp/youth/youth-harm/chousa/h23/net-jittai/html/index.html）（2012.12.08閲覧）.

*The New York Times*, “When to Buy Your Child a Cell Phone”（http://www.nytimes.com/2010/06/10/technology/personaltech/10basics.html）（2012.12.08閲覧）.


分担執筆の場合は担当ページ数を記入する

ネットで調べた場合は、アドレスと閲覧した日を記入する

題名、本文、引用文献も含め、2300文字

## 自己点検評価シート（ルーブリック）

| | 評価項目／評価基準 | 3 | 2 | 1 | 0 |
|---|---|---|---|---|---|
| はじめに（序論） | **論点の提示、問題背景**<br>与えられたテーマから論点を見出し、問題背景を説明している | □<br>説得的な論点を見出し、問題の背景を的確に説明している | □<br>適切な論点を見出し、問題背景を説明している | □<br>論点や背景を示しているが説明不十分 | □<br>示していない |
| | **情報検索、資料の整理**<br>テーマに関連する資料を調べて整理し、論点に関する一連の見解を明らかにしている | □<br>信頼できる資料を網羅的に調べ、多様な見解を示している | □<br>適切に調べているが、資料が1、2点で若干少ない | □<br>情報検索がネットだけで資料が不十分 | □<br>示していない |
| | **資料の批判的検討**<br>資料の問題点を批判的に検討する | □<br>資料を引用し、批判的に検討している | □<br>批判しているが資料が十分でない | □<br>批判しているが、適切な内容でない | □<br>示していない |
| | **問いを立てる**<br>問い（仮説）を立て、問題点を指摘する | □<br>資料を検討したうえで、具体的な問いを立てている | □<br>問いを立てているものの、資料の裏づけが十分ではない | □<br>問いを示しているが、資料を検討せず、唐突である | □<br>示していない |
| | **目的の明示**<br>問いにそった目的を明示している | □<br>明確に目的を示し、問いとの整合性も明確である | □<br>目的を述べているが、問いとの整合性が弱い | □<br>目的と問いとの関連づけが不十分 | □<br>示していない |
| （本論） | **主張の裏づけ**<br>自分の意見を信頼できる証拠を裏づけとし、主張している | □<br>信頼できる証拠をもとに、自分の意見を明確に主張している | □<br>自分の意見を主張しているが、裏づけが弱い | □<br>証拠資料が不十分で主張が曖昧である | □<br>示していない |
| | **異なる主張の批判**<br>自分と異なる主帳を批判的に検討し、裏づける証拠を示している | □<br>異なる意見を、信頼できる証拠をあげて明確に批判している | □<br>異なる意見を批判しているが裏づけが十分でない | □<br>自分の意見との違いが明確ではない | □<br>示していない |
| | **主張の限界と補足**<br>自分の主張の限界を示し代案（具体案）や補足を述べている | □<br>自分の主張の限界を示し補完するための具体案を述べている | □<br>主張の限界を示し代案を述べているが、具体性に欠く | □<br>主張の限界を示しているが代案がない | □<br>示していない |
| おわりに（結論） | **目的と結論**<br>レポートの目的を述べ、結論に至る経緯を明確にまとめている | □<br>目的を要約し、結論に至るまでを明確にまとめている | □<br>簡略的であるが、目的を説明して、結論を述べている | □<br>結論だけで、目的などの説明がない | □<br>示していない |
| | **成果と今後の課題**<br>レポートの成果を評価したうえで、今後の課題を明確に示している | □<br>成果を踏まえたうえで、今後の課題を明確に示している | □<br>成果と今後の課題を述べているが、やや具体性に欠く | □<br>成果の評価も今後の課題も曖昧である | □<br>示していない |

1．ペアを組み、まず、レポートの題名と執筆者名を記入してください。
2．評価者はレポートを読んで、評価項目ごとに、あてはまる評価基準に、☑をつけてください。
3．評価者は、優れている点、改善を要する点を具体例をあげて文章で記述してください。
4．グループに分かれ、各々の要点を発表してください。評価者は相手の優れている点についてコメントしてください。

| | 評価項目／評価基準 | 3 | 2 | 1 | 0 |
|---|---|---|---|---|---|
| 形式／表現 | **題名**<br>主題、目的、方法などのキーワードで構成された要約となっている | □<br>レポート内容の的確な要約となっており、表現も説得力があり、わかりやすい | □<br>内容との整合性はあるが、説明不足のため表現に工夫が必要 | □<br>内容やキーワードとの整合性がない | □<br>示していない |
| | **見出し**<br>内容が的確で、論理の階層構造がわかる章や節立てとなっている | □<br>論理の流れが読める。明確な内容かつ階層的な見出しとなっている | □<br>内容を表す見出しだが、レポート全体で見ると論理性に乏しい | □<br>内容の説明が不十分<br>アウトラインの見直しが必要 | □<br>示していない |
| | **パラグラフ**<br>冒頭で1文字空ける。接続表現を用いて連結を図る | □<br>適切な接続表現を用いて、パラグラフ内もパラグラフ間も連結している | □<br>パラグラフの形式はできているが、接続表現の使い方が不十分 | □<br>冒頭で1文字空けるルールができていない | □<br>示していない |
| | **引用の仕方**<br>執筆者名字と出版年およびページ番号を明確に示している | □<br>引用の形式を踏み文脈の中で適切な解釈を述べている | □<br>形式はできているが文脈での解釈が適切でない | □<br>形式も解釈も不明瞭 | □<br>示していない |
| | 引用文献リスト | □<br>正しいルールで統一されている | □<br>ほぼ正しいルール、一部不正確 | □<br>ルールと異なり不正確 | □<br>示していない |
| | 正しい文法の文<br>わかりやすい文章 | □<br>正しい文法で、明確な文章でわかりやすい | □<br>である体でほぼ統一されている | □<br>ですます体とである体が混在 | □<br>話し言葉が混在 |

レポートの題名

| |
|---|
| |

レポート執筆者名

| 学年 | | 学部 | | |
|---|---|---|---|---|

評価者名

| 学年 | | 学部 | | |
|---|---|---|---|---|

優れているところ

| |
|---|
| |

改善を要するところ

| |
|---|
| |

# 学びをプランニングする

## ステップ０ 知る アカデミックプランニングとは

アカデミックプランニングとは「何を学ぶのか」「どのように学ぶのか」について、学生自らが計画し、意思決定していくことです。

大学に入学し、**自立した学習者**となるためにはどうしたらよいのか、しっかり考えていきましょう。

### ◉ 学部の特徴や魅力を説明できますか？

みなさんは、所属する学部（学群）の特徴や魅力を説明することはできますか。入学前、志望校を絞り込むために、大学案内やホームページを見ることや、オープンキャンパスに参加することで、ある程度の情報は知っているのではないかと思います。でも、それらを見たことがある、読んだことがある、聞いたことがあるだけでは、一般的な情報を収集したにすぎません。しかも、それらの情報は断片的なため、説得力を持って自らの学部の魅力を語ることは難しいでしょう。自分自身、大学４年間をどう過ごしていきたいのか、何に関心があるのか、何を目指していくのか、具体的かつ主体的に**自分の学びをプランニング**していくことは、大学において**自立した学習者**となるために必要不可欠です。

入学したら、まずは自分の所属する学部の特徴や魅力、４年間で何をどう学べるのか、その仕組みとしてのカリキュラムや様々なプログラムを丹念に調べることから始めましょう。楽に単位を取ろうとして不確かな情報に安易に頼ろうとする学生がいますが、それは学ぶ目的が明確でないからです。残念なことです。

そうならないために、**履修ガイド**を読み込み、**オリエンテーション**には必ず参加し、体系的に４年間のカリキュラムを理解しましょう。１年生ですべて理解できなくとも、構図として頭に描く努力をすることによって、見通しを持った履修の仕方がわかるようになります。

## ◉ アカデミックプラニングの５ステップ

５つのステップで、大学４年間で「何を学ぶのか」「どのように学ぶのか」をプランニングするための思考力を鍛えます。

**学部の理念や特徴を調べ、魅力を考える**
大学のホームページやデータベース（p. 39、表５）を使い、キーワードをうまく組み合わせて知りたい情報を調べ、自分にとっての学部の魅力を考えます。

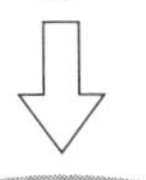

ステップ２
**理解する**

**学部のカリキュラムとゴールを理解する**
大学のホームページや履修ガイドを用いて、１年次から４年次までのカリキュラムマップを作成し、各学年の到達目標と最終ゴールをイメージします。

ステップ３
**まとめる**

**KJ 法で情報を分類し、ポスターを作成する**
ステップ１と２の各自のワークシートを持ち寄り、グループで情報を共有します。情報を KJ 法で分類し、何がわかったかを分析することで、学部の魅力を表すポスターを作成します。

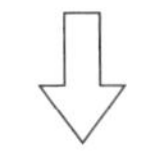

ステップ４
**発表する**

**ポスター発表会をおこなう**
ポスターで主張したいことを議論して言語化し、発表の役割を分担して全員が発表し、学び合います。

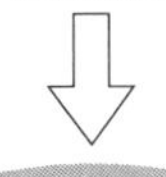

ステップ５
**書く**

**アカデミックプランニング・エッセイを書く**
ポスター作成の成果から４年間の学びを俯瞰し、各学年終了の節目に目標を掲げ、ゴールをイメージして、自立した学習者としての決意を書きます。

**図 11　アカデミックプラニングの５ステップ**

## ステップ1　調べ、考える　学部の理念や特徴を調べ、魅力を考える

大学のホームページを詳しく見たことはありますか。

みなさんが所属する学部（学群）の理念や方針には何が謳（うた）われていますか。大学４年間で「何を学ぶのか」「どのように学ぶのか」を知っていますか。４人の登場人物の経験や会話をもとに考えていきましょう。

茜（あかね）：入学して初めて履修登録をしたときは「大学ではこれを学びたい」とか「これは絶対取りたい」っていう科目はあった？

司（つかさ）：１年生では無理だよ。時間割は語学とか必修科目で埋まっているし、抽選科目もあるから、自分の取りたい授業なんて取れない。

創（そう）：部活の先輩が単位が楽に取れる楽単科目を教えるから心配するなって言ってくれた。だから何とかなると思っているよ。

茜（あかね）：そういう安易な考え方は危ないんだよ。履修ガイドとか読んだ？面倒だけど、しっかり読んで履修登録全般を理解していないと、後になってから困ることもあるんだよ。

司（つかさ）：僕は１年夏の留学体験で英語に目覚めて、２年で特別クラスにチャレンジしようと思ったんだけど、前もって履修しておくべき科目があるってわかったんだ。先修条件付きの授業だった。知らなかった。1年秋に取っておけばよかったんだけど。半期遅れることになる。

創（そう）：結構、複雑！　履修について理解しておかないと前に進めないんだ。僕はリベラルアーツって何かもわかっていない。どうしよう。

茜（あかね）：看護は必修科目がいっぱい。一方で将来の選択肢もある。看護師、保健師、助産師、養護教諭。目指すゴールを定めて履修しないと。

カフェでバイトをする大学生
大学も学部も学年も異なる大学生活の過ごし方やこれからの仕事について話すことを楽しみにしている

就職氷河期世代。長年に渡り非正規雇用として働いてきた。苦労してカフェをオープンした

カフェのオーナー
木村さん

幅広く学べるリベラルアーツに魅力を感じて入学した。いろいろチャレンジして自分の専攻を決めていこう。高校までにはない面白さがあるはず。興味がわくと熱中するタイプ

J 大学 1 年生
リベラルアーツ学群　創（そう）くん

臨地実習で患者さんに接して、看護師になる覚悟が決まった。1年生から看護の全体像を理解しておけばよかったと悔やんでいる。面倒見のいいお姉さんタイプ

Q 大学 3 年生
看護学部　茜（あかね）さん

将来は世界で活躍するビジネスリーダーを目指している。1年夏の留学体験で、俄然やる気がわいてきた。元気いっぱいで頑張っている。熱しやすいけど冷めやすいタイプ

G 大学 2 年生
国際経営学部　司（つかさ）くん

【Work 4.1】（➡ p.131 〜 132）
(1)　あなたの学部（学群）の理念や特徴は何かを大学のホームページや大学案内などで調べ、2点あげてください。
(2)　あなたにとって学部の何がどう魅力的なのか、魅力を引き出すキーワード（たとえば、リベラルアーツ、グローバル人材、看護の可能性など）を工夫してデータベースやホームページで丹念に調べ、考え抜き、自分のことばで学部の魅力についてまとめましょう。
(3)　(1) と (2) の回答をグループで共有し、その後クラスでも共有しましょう。

## ステップ2　理解する　学部のカリキュラムとゴールを理解する

創(そう)：高校生の頃は、どんな大学があるのか、何が学べるのか、試験に合格できそうか、期待と不安が入り混じった気持ちでいた。大学生になったら自由に好きなことができる、就活までは…と思っていた。

木村：「社会人になったら終わりだよ、辛いことだらけ」っていう大人もいるね。僕の世代は大学を出ても正社員になるのも難しかった。会社勤めは僕には合わないとわかって、社会で自分を活かせることはないかと考え、やすらぎの場となるようなカフェをオープンした。

司(つかさ)：僕は将来有名企業に入ることだけをイメージしていた。生き甲斐とか幸せと感じる人生は単純ではないんだ。

茜(あかね)：私は実習で、患者さんやその家族に接して、生きることの意味や質、看護の専門性とは何かを深く考えるようになった。

創(そう)：うーん、1年生には難しすぎる！　何をどう考えていけばいいんだ。

木村：あせらなくていいよ。まずは自分の学部の魅力や強みは何か、自分が学びたいことは何か、卒業後の自分をイメージしてごらん。

茜(あかね)：私だって不安だよ。一人前の看護師になるまでの道は長い。

司(つかさ)：僕はグローバル人材とかいう言葉に浮かれてた。地道に足元を固めないと。まずは大学のリソースを最大限に活かすことを考えよう。

**【Work 4.2】**（➡ p.133）
◎表6、7を参考にして、(1)〜(3) のワークをおこないましょう。
(1)　学部（学群）4年間のカリキュラムを調べ、表に大枠を書きます。さらに自分が履修しようと思う科目をワークシートに書き込んで完成させてください。他の大学や学部のホームページも参考にしてみましょう。
(2)　学部でのゴールを考えてみましょう。1.のカリキュラムと照らし合わせて、1年後、2年後、3年後、卒業時と節目のゴールを想定し、おおよそでよいので、自分の考えるゴールを簡潔に表に書き入れましょう。
(3)　(1) と (2) の回答をグループで共有し、現在の自分の課題は何かを考えましょう。

| | 1年次 | 1年修了 | 2年次 | 2年修了 | 3年次 | 3年修了 | 4年次 | GOAL |
|---|---|---|---|---|---|---|---|---|
| 基礎教育科目 | **コア科目**<br>アカデミックリテラシー<br>コンピューターリテラシー<br>英語コア<br>キリスト教入門<br>**外国語**<br>コリア語Ⅰ・Ⅱ<br>**LA 基礎**<br>リベラルアーツセミナー<br>**学問基礎**<br>人間理解<br>社会理解<br>自然理解 | コア科目を取りおえる　40単位取得 | **外国語**<br>コリア語Ⅲ・Ⅳ | 専攻科目の知識を高める　メジャーは、コミュニケーション学 | **外国語**<br>コリア語Ⅴ・Ⅵ | 外国語のレベルアップ　専攻科目の授業を取りおえる | | 124単位すべて取りおえて卒業、就職 |
| 専攻科目 | | | **専攻科目**<br>社会学概論<br>社会・集団心理学<br>現代コミュニケーション理論<br>集団コミュニケーション理論<br>オーラルコミュニケーション | | **専攻科目**<br>国際コミュニケーション<br>異文化コミュニケーション<br>組織コミュニケーション<br>コミュニケーション調査研究<br>メディアコミュニケーション<br>**専攻演習（ゼミ）** | | **専攻科目**<br>コミュニケーション学特論<br>**卒業論文** | |
| 自由選択 | | | **自由選択**<br>大学の学びと経験 | | **自由選択**<br>今日の健康と福祉 | | | |
| 留学プログラム | | | **留学プログラム**<br>韓国語学セミナー（夏休み） | | | | | |

**表6　リベラルアーツ学群のカリキュラムの例** [11]

(11)　桜美林大学リベラルアーツ学群のホームページを参考に作成．

| | 1年次 | 1年修了 | 2年次 | 2年修了 | 3年次 | 3年修了 | 4年次 | GOAL |
|---|---|---|---|---|---|---|---|---|
| 総合的学修内容 | 看護の基礎と一般教養を修得<br>・基礎教育 学習スキル<br>・基礎看護学 | | 専門基礎の修得<br>・基礎看護学<br>・小児看護学<br>・成人看護学<br>・老年看護学<br>・在宅看護学 | | 臨地実習を通して看護学の専門知識・技術・態度を修得<br>・看護マネジメント<br>・多専門職連携医療論 | | 将来のキャリアに直結する“専門性”を選択・探究する<br>・総合実習<br>・卒業研究 | |
| 臨地実習の流れ | 看護師の役割の観察<br>看護師になる夢を描く<br>看護とは何か<br>基礎看護実習 | 専攻を選択 | 看護援助を体験<br>実践的な実習のスタート<br>基礎看護学実習 | 専攻を決定 | 技術や知識を実践<br>・専門領域別実習 | 目標とする国家試験に合わせた専門分野を決定 | 総合的な看護実践を学ぶ<br>・総合看護実習<br>・助産学実習<br>・公衆衛生看護学実習 | 国家試験合格！ 憧れの看護専門職に！ |
| 国家試験対策 | 専門基礎科目を中心に、学力の向上を目指す | | 国家試験ガイダンスなど自律的に学修が始まる | | 試験対策本格化<br>模擬試験・講義<br>DVD学習も | | 国家試験の傾向と対策を万全に本番に挑む | |

**表7　看護学部のカリキュラムの例** [12]

(12)　関西国際大学看護学部のホームページを参考に作成．

## ステップ3　まとめる　KJ法で分類し、ポスターを作成する

創（そう）：早速、履修ガイド読んだけど、全然イメージできなくてわからない。

司（つかさ）：だよね。履修登録のやり方は書いてあるけど、授業の中身までは見えないからね。

茜（あかね）：シラバスは読んでみた？　授業のねらいや毎回の授業内容が書いてあるから、いろんな授業のシラバスを見てみるといいよ。

創（そう）：春学期は必修科目が多かったから、時間割の空いているところを埋めるって感じで履修登録しちゃった。シラバスをよく読んでみよう。

司（つかさ）：でもシラバスを眺めているだけじゃ、わからないよね。たとえば就活の面接で「何を学んできたか」を聞かれたら、うまく応えられるかな。結構、難しいと思うんだよ。自分が将来やりたいと思うことと、学んできたことを関連づけて考えていないと語れないんじゃないかなあ。

茜（あかね）：頭の中で、自分がなりたいイメージと、履修している科目がどうつながっているか。看護師は国家試験という共通目標があるけど、選択の幅が広い学部ほど、自分の夢を描きつつの履修は大変だね。

木村：大変だけど、夢が描ける将来が目の前に広がっているってスゴイ！　学べる環境と時間を大切にしてほしいな。4年間は長いようで短いよ。

### ◉ ワーク、ポスターの例、ポスター作成の要領について

(1) **【Work4.3】**は、p.78にあります。

(2) ポスターの例は、p.76の図12と、p.77の図13を参考としてください。

(3) ポスターの作成の仕方は、第2章で詳しく説明しています（p.11～23）。しっかり読み、KJ法の考え方や用法をよく理解してから取り組みましょう。なお、p.78に、KJ法によるポスター作成の要領を載せました。図解のための3つのポイント①**階層性**、②**関係性**、③**明瞭性**、をつかみ、明解でインパクトのあるポスターを作成してください。

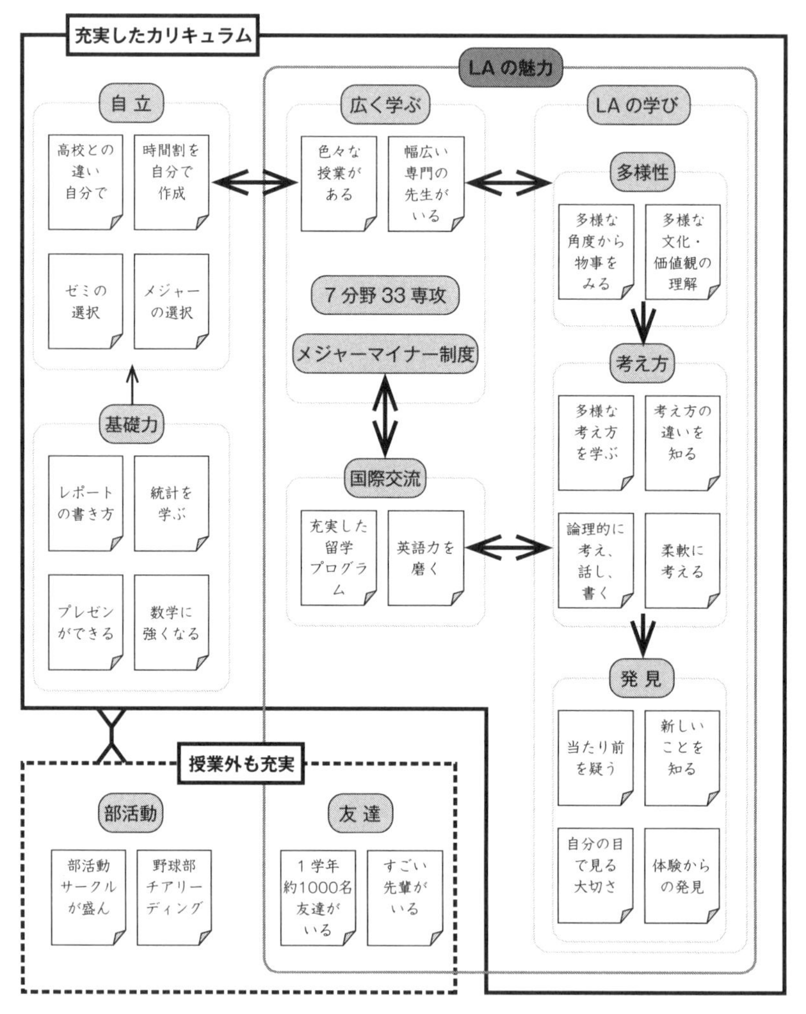


図12　多様な考え方が発見できるリベラルアーツ[13]

---

(13)　桜美林大学リベラルアーツ学群のホームページを参考に作成．

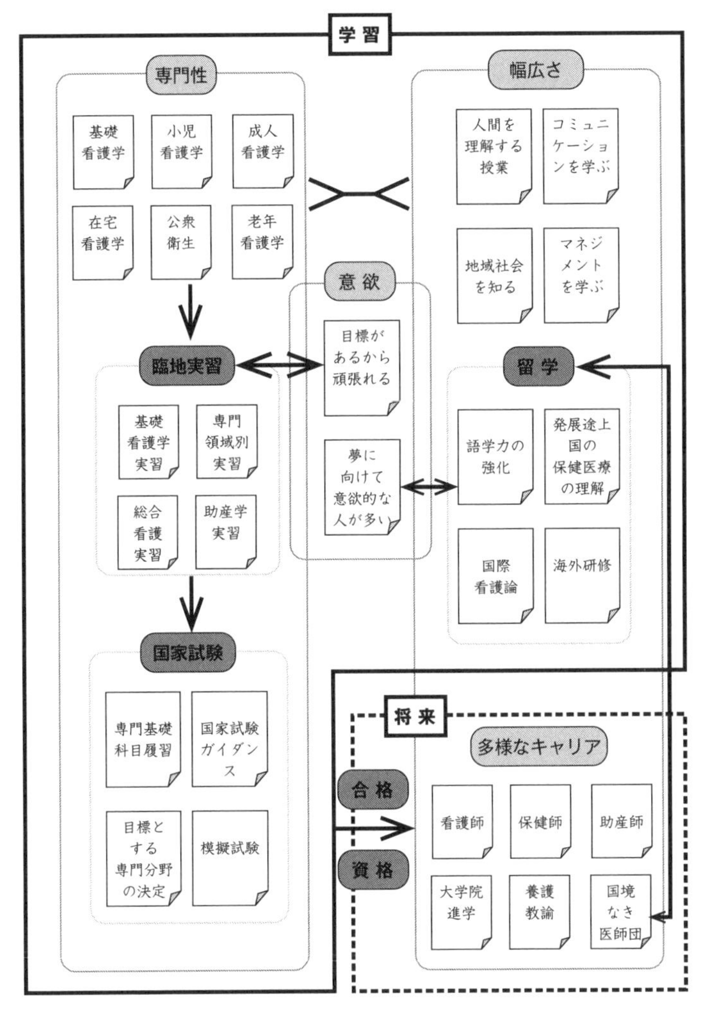


図 13　将来の看護は専門性と幅広さ――多様なキャリアへの夢が広がる [14]

(14)　関西国際大学看護学部のホームページを参考に作成．

## ◉ ポスター作成の要領（詳しくはp.11～23を参照）

(1) **〔重要〕**内容の近い概念の付箋を集め、島を作ります。同類の島同士を集め、小さな島から大きな島へと**幾重（いくえ）にもだ円や四角の線を描く**ことで、大きな概念か小さな概念か、**関係性**や**階層性**をより明瞭にすることができます。大きな島ほど**太い線**で表現するとわかりやすいでしょう。

(2) **〔重要〕**島と島の関係は矢印を使って**論理の構造**を示します。

**相互関係 ⟷、対立関係 >—<、原因・結果関係 ⟶**

島の関係性を示す論理を明確にしましょう。

(3) **一目で全体構造がわかる**ことが大切です。ばらばらであった事柄が、図解することで「なるほど」「わかった」と納得できる構造を示しましょう。

(4) 見出しのことばを用いて、結論が一目でわかる、**インパクトのある題名**をつけて下さい。

◉ **図解の3ポイント**

① **階層性**：島を大・中・小で示す

② **関係性**：論理を示す3つの矢印を用いる

③ **明瞭性**：的確な見出しとタイトルにする

**【Work 4.3】（➡ p.134）**

学部の魅力と特徴、現実の問題、今後の課題をポスターにします。ステップ（1）（2）の回答に加え、グループで意見を出し合い、第2章で学習した**KJ法**を使い、情報を筋道立てて整理してまとめ、テーマをタイトルに表してください（図13、14を参照）。

［用意する文具］模造紙1枚、付箋30枚、太マジック（黒、赤、青）、黒サインペン（グループの人数分）

(1) グループ全員のワークシートを並べて眺め、キーワードを選択します。

(2) キーワードを付箋にサインペンで書き、共通するものを集め、島を作ります。

(3)（1）と（2）の作業をしつつ、グループでテーマを決めます。

(4) テーマに沿って、ポスターのデザインを考えましょう。付箋を使い、図13（p.76）と図14（p.77）を参考とし、工夫して作成しましょう。

## ステップ4　発表する　ポスター発表会をおこなう

KJ 法による分類をおこない、ポスター作成をしました。このプロセスを通して何がわかったかをグループで洞察し、文章化して、発表します。**図解のプロセスと出来上がったポスターから、何がわかるかを発想することが KJ 法のポイントです**（p.12 参照）。

まずは、テーマ設定、KJ 法による情報の分類、内容の組み立て、ポスターの図案と作成、結論（ポスターで主張したいこととその根拠）、グループワークを通して得たことを振り返り、話し合います。それぞれの発表分担を決めて文章化し、発表します。

**【Work 4.4】**（➡ p.135）
①以下の5項目について話し合います。その後、分担を決め、ワークシートに記入しましょう。その文章化したものを用いて発表します。
(1) **テーマ設定**：なぜ、このテーマに決めたのか、何を知るために何を調べようとしたのかを述べます。題名についても説明します。
(2) **KJ 法による情報の分類と内容の組み立て**：収集した情報をどのような観点で整理し、内容を組み立てていったのか、その意図とプロセスを説明します。
(3) **ポスターの図案と作成**：どのようにしてポスターの図案を考えたのか、図案が決まるまでのプロセスと、ポスター作成で苦労した点やアピールしたいことを述べます。
(4) **結論**：ポスター作成を通して明らかになったこと。学部に関する理解や、理解が進化したことで自分たちの意識がどう変化したかについて洞察します。
(5) **グループワークの成果**：グループワークを通して大変だったことや成功したこと、学んだことを振り返りましょう。
②他のグループの発表を聞いて評価できる点や発見など、気づきを記録しておきましょう。

## ステップ5　書く　アカデミックプランニング・エッセイを書く

アカデミックプランニングとは「何を学ぶのか」「どのように学ぶのか」について、学生自らが計画し、意思決定していくことです。アカデミックプランニング・エッセイは、学生が主体的に学びに取り組むために、**自立した学習者**として自分の計画を綴り、自己点検をおこなうものです。たとえば、1年次終わり、2年次終わりでのゼミやメジャー選択時、3年次終わりの就活前、卒業時など、大学生活上重要となる節目で、「自己評価」「先への展望」「ゼミやメジャー選択理由」「卒業後の進路」について自らの考えをまとめます。自らの進路を俯瞰的に点検し、適切な助言や指導を得るために不可欠な情報であり、記録ともなります。

ステップ5では、ステップ4までの情報をもとに、これから、どのような夢を描き、どの科目を履修し、どのゼミ（メジャー）を選び、卒業に向けてどのように学ぶか、**自らの学びをプランニング**します。先々のことを考え、文章にまとめることは簡単でありませんが、自分を対象化してメタ的に捉えることで、何らかの指針を見出すことができます。まずは、これからの履修や、何をやっておくべきかを考えることから始めましょう。

**【Work 4.5】**（➡ p.136）
(1)　p.81～82のアカデミックプラニング・エッセイの事例を参考とし書いてみましょう。事例の網掛けの表現を適宜用いると、自分の考えを組み立て、文章にすることができます。次の3項目は内容に必ず盛り込んでください。最後にキーワードを3～5個あげ、キーワードを用いて具体的な内容を表す題名をつけてください。
①○○学部（学群）を志願した積極的な根拠を書いてください。
②入学後、学部の何に魅力を感じ、何を学びたいと思っていますか。
③これから履修したい科目や学修内容、その理由について自分の専攻や将来目指したいことを視野に入れてまとめてください。
(2)　書き終えたら、グループやクラスで内容を共有しましょう。

## ◉ アカデミックプランニング・エッセイの例

### リベラルアーツ学群１年生　創くんのエッセイ



**題名：複合的思考と実践力を磨く**

キーワード：複合的思考、実践力、課題解決

①リベラルアーツ学群（以下、LA）の幅広い学問を学べることに魅力を感じました。高校までは時間割は決められていましたが、多様な視点から物事を捉え、考えることができる自由さに惹かれました。

②いまはフードロスの問題に関心があります。賞味期限切れの食品がまだ食べられるのに大量に破棄される、一方で食事も十分に取れない貧困家庭の子どももいます。こうした問題は複合的な観点から考えていく必要があると思っています。環境、経済、福祉、政策など多面的に学べる学修環境がLAにはあります。このテーマが直接、就職にはつながらないかもしれないけれど、課題解決に向けて考えるプロセスや議論したことが、学問的知識の習得だけでない、実践力を磨くことにつながっていくのではないかと思っています。

③まずは社会科学に関する科目を履修して学びの基礎力をつけたいと思います。その上で……という理由からメジャーは……を考えています。履修ガイドにある先修条件や修得単位を踏まえ、……などの科目を取っていこうと思います。勉強だけでなく部活にも力を入れたいし、留学も経験したいので、どの時期に何をやるのか、学内の情報を積極的に収集していこうと思っています。

※看護学部　茜さんのエッセイは次のページ（p.82）に記しました。

## 看護学部３年生　茜さんのエッセイ

**題名：健康的に生きることを援助する**

キーワード：健康、援助、公衆衛生

①看護学部の大学案内に「看護は、人間がより健康的に生きるのを援助する仕事である。学生たちが看護することの意味と喜びを感じとって巣立ってほしい」とあり、とても感動しました。私もそうありたいと憧れて志願しました。

②入学後に抱いていた看護師のイメージと異なることがありました。何でこんなに勉強が必要なのか、患者さんを助ける実践的なことを学びたいと思いました。しかし、今回のワークを通して4年間のカリキュラムの意味を理解することができました。専門的な知識と技術、チーム医療における幅広い知識と視野があってこそ、一人前の看護師となれることを知りました。

③臨地実習を通して本格的な現場学修がスタートしました。4年次に向けて自分は将来どんな看護師を目指したいのか、明確にする必要があります。私は発展途上国における公衆衛生に興味があります。ゴールは保健師の国家試験に合格することです。将来を見据えて海外研修に参加する予定で、英会話のトレーニングも始めました。夢に向けて頑張りたいです。

# キャリアをデザインする

大学に入った途端、将来のことについて考えなくてはならないの？
自分がどんな仕事に向いているかも、いまの私には正直見当もつかない……

大学での勉強って社会で本当に役に立つの？　単位だけ取って就職に有利なことだけを要領よくやっていこう。大学生活も楽しみたいしね。

英語の先生になりたいと思って英文科に入ったんだけど、宿題や教職の時間割がきつくてバイトも思うようにできない。マジ、困っているんだけど。

看護師にあこがれて入学を決めた。でも、専門的な勉強が始まったら、本当にやりたいことなのか、自分にできるのか、自信なくなってきた。

僕の父は医者だから、幼い頃から僕も医者になるものだと思ってた。ところが、実習で患者さんに接すると、自分には合わないと思うようになった。

みなさんの気持ちもよくわかります。
自分だけの問題と捉えずどうしたらいいのか、
みんなで一緒に考えていきましょう。

## 1　いきなりキャリアデザインはできない

### ◉ ベストな選択肢はあるのか

ある大学３年生の本音を紹介しましょう。

「1、２年生のうちは授業もばっちり入ってたし、サークルもバイトもきつくて卒業後のことまでとても考えられなかった。３年生になっても将来のことをどう考えたらいいか、何から始めたらいいのかわからない。あこがれる仕事も特別ない。キャリアデザインの授業もピンとこない。みんな型通りのいい子になって面接で自分をアピールできるのかな。漠然とだけど、経済的に安定できて雰囲気もいい感じの仕事に就けたらいいなとは思っている」

いままでは、中学、高校と進路は決まっていました。大学進学もあたりまえの感覚で決め、受験・AO・推薦と入試の形態は違っていても就職を選択肢として進路に悩んだ経験はないかもしれません。でも、これから先は違います。自分で選び、自分の足で歩んでいかなければなりません。

しかし、たとえ理屈はそうであったとしても、「大学生になったからといって、いきなりキャリアについて考えるのは無理。自分にはできない」と感じるのは当然です。先行き不透明な現代社会では雇用問題は複雑化し、生き方も多様化しています。これがベストな選択肢という正解も生活の保証もありません。学校でのテストのように常に正解があるわけではないのです。では、これからどうすればいいのでしょうか。

### ◉ キャリアとは

キャリアとは、職歴（職業キャリア）だけを指すのではありません。いままで歩んできた道もキャリアです。どんな高校生活、大学生活を送ってきたかも大事なキャリアです。キャリア（career）の語源には、馬車（carriage）や運ぶもの（carrier）があることから、馬車が通ってきた道筋（轍）や大切なものを運ぶことなどにたとえて説明することができます。したがって、広い意味でのキャリアとは、これまでどういう道筋を辿り、これから何を大切にして歩んでいこうとしているのか、過去から未来までを視野に入れた歩み（ライフキャリア）だと言えるでしょう。

そうすると、大学１、２年生のためのキャリアデザインでは、職業選択に直結する前に、まずは自分の歩みを振り返り、何をしているときに活き活きできるのか、何を自分は大切にしたいのか、将来どういう自分でありたいのかなど、これまでの歩みと自分の価値観とを将来につなげ、意味づけていくことが重要です。このように、キャリアデザインは自分の生き方と関連するわけですから簡単ではありません。

一生涯を視野に入れ将来を見据え、広く深く考える必要があります。

## ◉ あなたは子ども？　それとも大人？

それでは、生涯発達心理学の理論を手がかりに考えていきましょう。私の生涯発達心理学の授業では「青年期の発達」の導入部分で学生のみなさんに、次のような質問[15]をし、その理由を聞いています。

**【Work 5.1】①あなたは子ども？　それとも大人？（➡ p.137）**

あなたは、自分を大人だと思いますか。それとも、子どもだと思いますか。いまのあなたの感覚に最も近いものを１つ選択し、その理由を考えてみましょう。

1．自分は子ども　子どものままでいたい
2．自分は子ども　大人になりたい
3．自分は大人　　ほんとうは子どもでいたい
4．自分は大人　　大人でありたい

あなたは自分のことをどう思っていますか。その理由は何でしょう。

生涯発達心理学では、生命が宿った胎児期から一生を終えるまでを、発達段階ごとに区切り、どのような発達課題を乗り越えれば、次の段階

(15)　京都大学公開授業「ライフサイクルと教育」で配布された資料をもとに作成した。

へと移行することができるかを見ていきます。どのように移行期を過ごすかが、人が発達・成長するための要(かなめ)となります。さて、どんな課題を乗り越えれば、人は大人になれるのでしょうか。

## ◉ 青年期は学校教育の産物

子ども期から大人期への移行期が青年期です。青年は生物学的には子どもではありませんが、社会的にはまだ大人ではありません。また、青年期は過去のどの時代にもあったわけではありません。青年期の歴史的・社会的背景を探ってみると、青年期は近代化の産物であることがわかります(16)。19世紀後半の英国の中産階級において学校教育が子どもの将来を保証するものとして重視されるようになり、さらには20世紀初頭の労働者階級の若者にも普及することによって、学校教育は制度的に確立されました。こうして学校教育が青年期という新しい人生段階を創り出していったのです。

## ◉ 心理社会的モラトリアム

このような社会的背景のもとに登場した青年期を、精神分析学者のエリクソン(17)は心理社会的モラトリアム（psychosocial moratorium）の年代と定義しました。モラトリアムとは金融の用語で、債務や債権の決算を一定期間猶予する措置のことです。この言葉を転用し、青年期は、修業、研修中の身の上であるから、社会の側から社会的責任や義務の決済を猶予される期間であるとしました。青年にとって、その修業や研修は厳しく、つらい苦しい経験でした。

この修業期間に、青年は、自分は何者か、自分は何をしていけばよい

(16)　遠藤由美（2000）『青年の心理――ゆれ動く時代を生きる』サイエンス社.
(17)　Erikson, E. H. (1959) Identity and the life cycle. *Psychological Issue*, No. 1. New York: International University Press. 小此木啓吾訳編（1973）『自我同一性――アイデンティティとライフサイクル』誠信書房.

のか、自分と向き合い、自分は自分であるという感覚（**アイデンティティ**）を持ち、社会との関係において自分が何者であるかを自覚し、自信を持つことができるようになります。こうして苦悩の末、アイデンティティを達成したところで青年期は終焉を迎え、成人期が始まるとエリクソンは考えました。

自分とは何者かを**社会との関係**において見出していくこと、すなわち**アイデンティティの達成**を、青年が大人へと移行するための発達課題であるとしたのです。

## ◉ 現代のモラトリアム

ところが、エリクソンの時代とは異なり、現代の青年はアイデンティティを達成した経験がない、あるいは青年期に獲得したアイデンティティでは一生を支えきることは難しくなったという問題も出てきました。

第一の理由は、現代のモラトリアムには、イニシエーションがないことです。イニシエーションとは、大人になるための通過儀礼です[(18)]。小此木[(19)]によれば、古典的モラトリアム時代の青年は、禁欲や修業など難行苦行を経て、社会から大人になることを認められ、自由を手に入れることができました。しかし、現代の青年はそうしたつらいイニシエーションを経験せずとも、楽に大人のメリットを享受することができます。たとえば、高校卒業後、自立し社会人として働くよりも、親の庇護のもと、確固たる目的もなく大学に入学し、大学時代を自由に楽しみたい、将来のことは就活から考えればいいと自分を直視する経験があまりないことなどです。その結果、就活ではその場しのぎのテクニックに頼るという傾向も見られます。

第二の理由は、現代の若者の雇用環境の悪化です。高度経済成長期には終身雇用制度によって雇用者とその家族は守られてきました。ところ

(18)　遠藤由美（2000）『青年の心理――ゆれ動く時代を生きる』pp.20-22.
(19)　小此木啓吾（2010）『モラトリアム人間の時代』中公文庫.

が、1990年代以降、長期不況に陥ると、若者の雇用環境は急激に悪化しました。学校教育にもキャリア教育が導入され、自分探しや自己実現など自分がやりたいことを見つけなければならないという意識を若者に半ば強制することが、一層、仕事に対する行き詰まりを感じさせる結果を招いています。たとえば、「やりたいことが見つからない」「この仕事がやりたいと思って就職したけれど、イメージとは違って耐えられず2年で辞めた。次は非正規雇用の仕事しかない」「やりたいことがやれていない。会社の歯車として仕事人生を終えるのはつらい」「今の賃金では結婚もできない」など悩みは深刻です。

このように、キャリアデザインが難しくなっている背景には、学生や若者側の問題だけではなく、現代社会の厳しい雇用環境があることがわかります。

## 2　挫折や苦悩を乗り越えて
## ——大学生の就職活動から考える

では、こうした問題にどう対応していけばよいのか、二人の大学生の就職活動[20]を例にアイデンティティ発達理論を拠り所として考えていきましょう。

### ◉ アイデンティティ・ステイタスの4類型

エリクソンのアイデンティティ発達理論を継承するマーシャ[21]は、アイデンティティの発達を2つの軸を用いて分析し、4つのアイデンティティ・ステイタス（アイデンティティ地位）に分類しました（表8）。

---

(20)「NHK特報首都圏」で2005年に放映された「就職最前線」を素材とし新たに書き起こした架空の内容。

(21) Marcia, J. (1980) Ego identity development. In J. Adelson (Ed.), *Handbook of Adolescent Psychology*. Wiley.

表８　アイデンティティ・ステイタスの４類型

(Marcia, 1980)

| | アイデンティティ拡散　D (Diffusion) | 早期完了 F (Foreclosure) | モラトリアム M (Moratorium) | アイデンティティ達成　A (Achievement) |
|---|---|---|---|---|
| **危機** (Crisis) **選択に迷ったことはあるか** | ある／なし | 過去になし | 模索の最中 | 過去にあり |
| **関与** (Commitment) **自覚的に自分のすべきことを考えているか** | なし | あり | あるが漠然としている | あり |

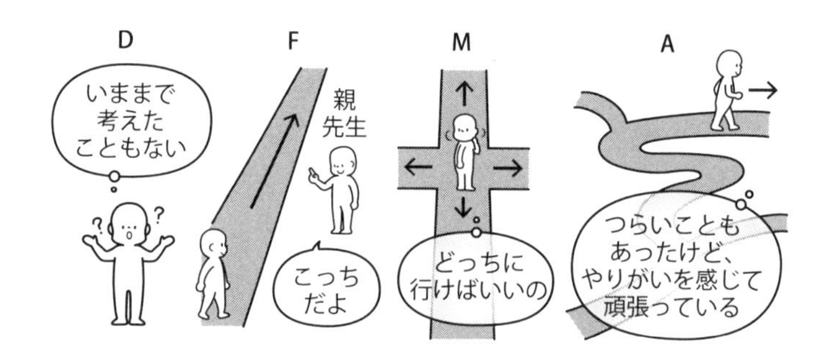


１つめの軸は**危機**で、人生におけるさまざまな選択肢を前に迷った経験はあるかどうか。２つめの軸は**関与**で、自分のすべきことを自覚的に考えているかどうかです。**アイデンティティ拡散**は、自分が何をしたいかなど考えたこともない、あるいは考えたことはあるが、どうしたらよいかわからないままにいる状態を指します。**早期完了**は、親や先生の敷いたレール通りにコツコツ頑張ってきたタイプで、選択に悩んだ経験がなく、価値観を揺さぶられることに弱いところがあります。**モラトリアム**は、現在模索中で迷っていて踏み出す勇気がなく、決定を延期している状態です。**アイデンティティ達成**は、苦悩や失敗、挫折の末、自分の目

標を見出して頑張っている安定した状態を指します。

さて、次の二人の大学生、A子さんとK太さんはどのような就職活動[22]を展開していったのでしょう。彼らのアイデンティティはどう変容していったのか、4つのアイデンティティ・ステイタスで考えてみましょう。

〈A子さんのケース〉

A子さんは、私立大学人間科学部の4年生。実家は、地方の造り酒屋です。伝統の味を守りたいと厳しい経営の中、懸命に働く親の姿を見て育ちました。大学入学とともに上京し、一人暮らしを始めました。ダンス部に所属し、3年生のときは全国大会で準優勝に輝きました。そのあとも後輩の育成に携わったため、就職活動は若干出遅れてしまいました。

苦労する両親を見てきたA子さんは大手企業に就職したいという希望を持っています。「大手であれば、安定した生活が約束されていると思うし、みんなが知っているスゴイ会社に決まったら、その人もスゴイって感じて見てもらえる」。

でも、現実は厳しく、なかなか内定が取れない日々が続いていました。A子さんは、内定が取れないのは大学時代の過ごし方に問題があったのではないかと考えています。部活動に打ち込み、大会で受賞もしましたが、就職に役立つと言われているボランティア活動はやらなかったことや、資格も取らなかったことを後悔していました。

「いまになって、大学生活に実績を作ってこなかったことに気がつきました。それがすごく悔しい。就職のことをもっと前から意識していれば、部活やバイトに明け暮れるとかしなかった。部活もいい想い出では

(22) 「NHK 特報首都圏」で放映された内容を参考とし、架空の事例を作成した。

あったけれど、就職には役に立たない。すごくもったいなかったなあって思う」。

A子さんは就職活動の合間に実家に帰りました。実家の酒屋は最盛期には従業員が30人ほどいましたが、いまは半数に減り、規模を縮小して何とかやっています。事業主でもある父親はA子さんに率直な気持ちをぶつけてきました。

「本音を言うとな、長年続いてきた老舗の味を自分の子どもに受け継いでほしいと思っている。でも、こういう厳しい経営環境で苦労ばかりかけてきたから、本当に幸せになれるかと思うと強引に勧められない。A子の気持ち次第。無理にじゃないよ」。

父親に本心を打ち明けられ、A子さんは、このまま就職活動を続け、大手企業をめざすか、実家を継ぐか、心は揺れ始めました。そして、あらためて「自分はどんな仕事をしたいのか」を考えるようになりました。

悩んだ末、先輩の社会人に相談し、実家の話をすると、

先輩：いまは、地方の小規模企業はどこも大変だよね。それは、社会の仕組みにも問題があるって考えたことはない？

A子：両親は頑張っていたけど、いつも大変そうだった。もっと違うやり方もあるんじゃないかなって、子どもながらに思っていた。

先輩：どうにかできないかなと、いまも思っているわけでしょ。

A子：うん。大学生になって、攻めの姿勢も大切かなと考え始めた……たとえば、みんながアレいいよねって思えるような日本酒を開発するとか。若い人や女性向けのフルーティーなワインのような日本酒。ボトルのデザインやPRも必要だなと思ったりした。ホームページを立ち上げてネットでも買える仕組みづくりとか。そうすれば従業員の人たちもやる気が出るんじゃないかな。将来に向けて頑張ってみようという明るい気持ちになれるかもしれない。

先輩：それは、A子さんが感じている大事な部分でしょ。

A子：そう。みんなが元気になるような仕組みづくり。親の苦労をずっと見てきたから、安定した大手に入れればと、自分のことだけ考えていた。だけど、身近な人が幸せじゃなきゃ、自分も幸せじゃないよね。

先輩：そうだね。身近な人から幸せにしたい、元気にしたいっていう、A子さんの気持ち、大切にしてほしいなあ。

それから、A子さんは先輩のアドバイスもあって、中小企業を支援する中堅ベンチャー企業の面接に臨みました。この仕事なら、いつか、実家の稼業も助けることができるかもしれないと考えたからです。

A子：いままで会社に選んでもらおう、選んでもらわなきゃ、そんなことばかり考えてきた。だけど、いまは自分で会社を選ぼう、という視点にやっと立てたかなと思う。ずっと悩み続けていた大手へのこだわりが吹っ切れたような気もします。

〈K太さんのケース〉

K太さんは国立大学の経済学部の4年生です。大学1年生のときから就職に向けて着々と準備を積み重ねてきました。就職に有利ではないかと考えて、通信講座を受講して米国の公認会計士資格を取得しました。すでに大手金融機関5社の内定を獲得しています。

さらに、アルバイトも自己PRの一環と考え、塾講師、ウェイター、人材派遣会社の事務など、さまざまな職種を選び、やってきました。K太さんは就職活動は本当に貴重な経験だと感じていて、むしろ楽しみながらやっていると言います。ある日、1年生の頃にサークル活動でお世話になった社会人の先輩と話す機会がありました。

先輩：頑張ってきたことが、成果となって出てきたね。

K太：正直言って本当に嬉しいです。僕は、格差社会はアリだと思っています。頑張った人が頑張った分、ご褒美がもらえるのは当然のことじゃないですか。できるだけ多くの内定を取って、その中から最も将来性のある会社を選んでいきたいと考えています。

先輩：K太さんは優等生だから、それができるんだね。

K太：僕は努力してきたんです。就活はそれほど単純ではないと覚悟して取り組んでいて、決してゲーム感覚でやっているわけじゃない。むしろ、真摯に不安も抱えながらやっているつもりです。これからの社会は大学を卒業して一流の会社に入れるかどうかで勝ち組、負け組が決まるとか、一流の会社に入ったからといってその後もすべてが順風満帆にいく時代ではない。先行きどうなるかは誰にもわからないと思っています。

先輩：なぜ、そう思うようになったの？

K太：父親の人生を見てきたからです。父は一流企業に勤めていました。でも、リーマンショックの煽（あお）りを受けて、ある日突然解雇されました。会社に忠誠を誓い、会社を誇りに思い、懸命に働いてきたのに、会社の都合でリストラされる。理不尽な扱いをされた父の、悔しい、やりきれない思いは子どもであった僕にも伝わってきました。家族の生活も一変し母親もパートで働くようになりました。そんな両親の苦労を見ていたので、いつ、何が起こるかわからないと思うようになりました。両親の悔しい思いを胸に刻み、懸命に勉強し、就活も早い時期から視野に入れて準備してきました。一流大学、一流企業をめざして必死で頑張ってきました。

先輩：なるほど。で、大学生活はどうだったの？　友達との関係は？

K太：英語が話せるようになったら有利かなと思って、1年生のときはESSに入っていましたが、グループ活動に費やす時間が惜しくて、1年でやめました。でも、いまでもそのときの仲間と飲みに行くこともありますよ。みんな、就活で苦労していて、ぐちを言い合ったりする仲間です。将来の職場以外のところに友人関係を築いておかないと何かあったときに情報が限られてしまうじゃないですか。今日みたいに、先輩にも相談できるし、関係性をつないでおくことも必要かなと……。

先輩：先の先まで読んでいるんだね。

K太：もしかしたら、僕が就職する会社は10年後にはないかもしれない。その前に僕が転職するかも。これからは5年くらいのスパンでかなり変わるんじゃないかと思っています。公認会計士の仕事も、AIである程度できるようになっていくわけですから。いまある仕事が消えて、新たな仕事が必要とされる時代が来ている。僕たちは、変革の渦の中にいる。だから、備えも攻めも大事かなと思っています。ESSをやめたあとも英語の勉強は続けていますよ。グローバルな展開も想定して……。

先輩：それで、学生時代は楽しかった？

K太：かなり充実して過ごせたと思っています。そういう意味では楽しかったかな。ではそろそろ、次の会社の面談の時間なんで、これで失礼します。おかげでこれまでのことが整理できた有意義な時間でした。今後ともよろしくお願いいたします。

【Work 5.1】②アイデンティティ・ステイタスの変容（➡ p.137）

（1） A子さんとK太さんのアイデンティティは、就活において何をきっかけとして変容していったのか、4つのアイデンティティ・ステイタスで考えてみましょう。アイデンティティの類型を書き、↓の右側に変化したきっかけ（要因・理由・根拠）を書き入れます。テキストの内容だけでなく、実は就活の前や後でこんな出来事もあったのではないかと、想像を膨らませて考え、変化した理由をワークシートに書いてください。その後グループで話し合い、A３用紙を縦に使い、図を完成させ、それをホワイトボードに貼って発表し、意見を交換しましょう。

| A子さん | K太さん |
|---|---|
| M | D |
| ↓・・・・・・・ | ↓・・・・・・ |
| ○ | ○ |
| ↓父親と話す・・・ | ↓内定５社獲得・・・ |
| ○ | ○ |
| ↓・・・ | ↓・・・ |
| ○ | |

（2） 悩み落ち込んでいるとき、うまくいかないとき、危機を乗り越えるには、何が必要だと思いますか。ワークシートに自分の経験や考えを書いたら、意見を交換しましょう。

## 3　自分が選んだ道を歩む旅へ
## ――生涯発達の視点でデザインする

ここからはA子さんとK太さんの就職活動とその後の人生を想定し、生涯発達の視点から考えていきましょう。

### ◉ 自分は何者か、そして誰の役に立つのか

A子さんは、就活を始めた頃、大手企業にこだわっていました。親の苦労を見ていたことから安定した大手がいいと思ったのも理由の１つでしたが、「大手だとみんなにスゴイって言ってもらえる」と他者から見られた自分を強く意識していたのです。しかし、30社受けても内定がもらえない日々が続きました。

先輩に相談すると、「実家の会社がうまくいかないのは社会の仕組み

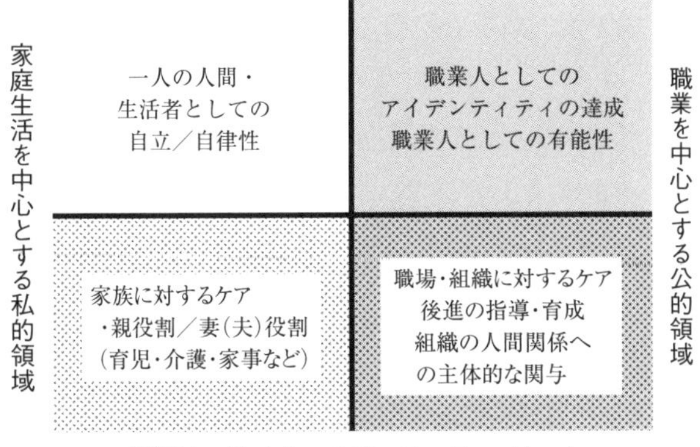


**図 14　成人期の発達を規定する２つの軸と４つの領域**
岡本（2002）をもとに作成。

にも問題があると考えたことはない？」と聞かれ、A子さんは自分が大切にしたいものは何かに気づきます。それは「親や従業員の人たちが元気になるような仕組みづくり。身近な人から元気にしたい。周りが幸せでなければ自分も幸せにはなれない。これまでは自分のことだけ考えていた」と中小企業を支援するベンチャー企業の面接に臨みます。

このとき、A子さんは自分自身のアイデンティティの達成だけでなく、親も含めた周りの人たちを気遣い、身近な人が活き活きできるようにすることが自分の成長にもつながると考えることができるようになっていました。

岡本（図 14）[23]は、アイデンティティ発達には、「**個としてのアイデンティティ**」の確立や深化のみでなく、「**関係性に基づくアイデンティティ**」のバランスと統合が重要であることを指摘しています。「個としてのアイデンティティ」とは、自分とは何者か、何になっていきたいのかという個の自立や確立が中心テーマであるのに対して、「関係性に基

(23)　岡本裕子編著（2002）『アイデンティティ生涯発達論の射程』ミネルヴァ書房.

づくアイデンティティ」では、自分は誰のために存在するのか、自分は誰の役に立つのかを問題とし、他者の成長や自己実現に関心が向けられています。

すなわち、他者の成長や自己実現を支援するためには、個としてのアイデンティティが達成されていることが前提としてあり、他者によりよい支援をすることによって、個としての自分も発達し続けることができると言えるでしょう。

したがって、A子さんの場合は、ほかの人からスゴイって見られたいという自分中心の世界から、身近な人やさらには社会へと広い視野に転じ、自分は誰の役に立ちたいのか、どんな存在でありたいのか、が見えてくることによって、やり甲斐感や充実感・幸福感に対する捉え方が変容していったと考えられます。

## ◉ MAMAサイクル

では、K太さんは、これからどのような人生を歩んでいくのでしょうか。何事にも用意周到に臨んだK太さんは、いわゆる勝ち組としての会社人生が始まります。一流企業では会社でのトップ争いも熾烈でしょう。自分の考えと上司の考えの行き違いもあるかもしれません。周囲の反発に遭遇することもあるかもしれません。

一方、家庭生活では、人生をともに歩もうと思う女性にめぐり逢い、結婚し、子どもも生まれるという嬉しい出来事もあるでしょう。そうした「職業を中心とする公的領域」と「家庭生活を中心とする私的領域」の間で、複数の役割を並行し、うまく舵を切りながらやっていくことが社会人には求められます。これは、青年期とは異なる成人期における発達課題でもあります（図14）。

これまでのように、K太さんの人生はすべてうまくいくとは限りません。自分の価値観を変え、柔軟に対応することが求められます。課題に応じて、再びアイデンティティを模索し、新たなアイデンティティを再

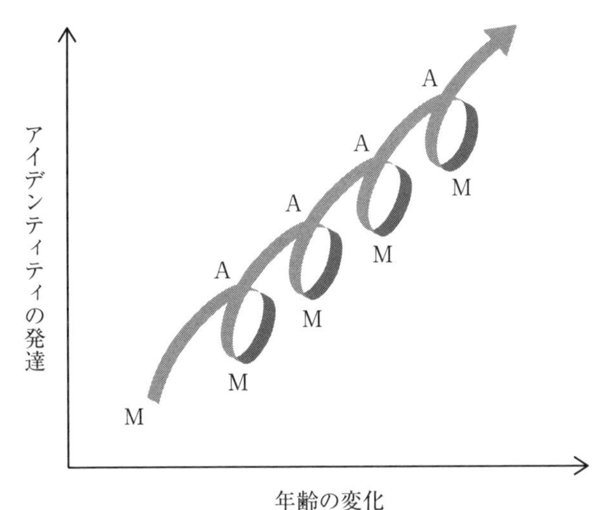


**図 15　MAMA サイクルのイメージ**
Archer（1989）をもとに作成。
M：モラトリアム，A：アイデンティティ達成を示す。

構築していく必要があります。人生はその繰り返しです。すなわち、アイデンティティを模索するモラトリアム（M）の期間と、新たなアイデンティティを達成すること（A）を、繰り返しながら成長・発達していくものだと言えるでしょう。

アーチャー[24]は、これをMAMAサイクルと称しました。図 15 は、バネをイメージして作成したものです。モラトリアム（M）で落ち込んでもまたそれをバネにして新たなアイデンティティを達成（A）する、その繰り返しが多いほど、バネの力は強くなり、人間としての強さとしなやかさが加わり、成長・発達し続けることができるのではないかと私は考えています。

(24)　Archer, S. L. (1989) The status of identity: Reflection on the need for intervention. *Journal of Adolescent*, 12, 345–359.

### ◉ 大学での学びを活かし、自信を持って自分の道を歩む

アイデンティティの概念を広めたエリクソンの青年期は、自分は何になるのかという明確なイメージはなく、迷いや模索の日々でした。また、義父に育てられ、学校や地域ではよそ者扱いされました。そうしたつらい経験が糧（かて）となり、「自分は何者か」という問いが、精神分析学者としての礎（いしずえ）を築いたのです[25]。

人生には人それぞれさまざまなことがあります。喜びも悲しみも、成功も失敗も。他人と比較し、自分はどうしてこうなんだろうと、妬（ねた）んだり、落胆したりすることもあるかもしれません。でも、能力や特性はそれぞれ異なります。

複雑な問題を整理して考える力がつくと、自分を客観的に評価する視点を持つことができます。このテキストで学んできた**論理的に考える力や書く力は、大学での学習だけでなく、むしろこれからの社会生活において多様で困難な正解のない問題に立ち向かっていくときに確かな力として発揮することができるでしょう**。しかも、前に進む意思を持ち続ければ、その力は生涯にわたって発達するのです。

学問を通して多様な価値観にふれ、粘り強く考え抜く力や、視野を広めて柔軟に対応する力をつけていくことは、これからの人生においても重要です。また、大学時代に築いた人間関係はみなさんの大切な財産となるでしょう。**自分を対象化して語る力**や、**他者との関係性を築く力**、**他者を思いやる力**（**ケア**）は、複雑化する社会でしなやかに豊かに生きる力となっていくでしょう。充実した大学生活を送ることで、苦しいときも自信と誇りを持って乗り越え、自分が選んだ道を歩んでほしいと願っています。

---

(25)　Friedman, L. J. (1999) Identity's Architect: A Biography of Erik Erikson ; やまだようこ・西平直監訳 (2003)『エリクソンの人生——アイデンティティの探求者』新曜社.

## 【Work 5.2】自分のアイデンティティ・ステイタスの分析

(➡ p.138)

(1)　自分のアイデンティティ・ステイタスは、過去（中学・高校)、現在、大学卒業時、卒業５、10年後において、どう変化するかを分析かつ予想し、中央欄には４つのアイデンティティ・ステイタス（p.74参照）の頭(かしら)文字のアルファベットを記入してください。また、そのとき、自分はどんなことをしているか、どんなことを考えていると思うかを右欄に具体的に説明してください。

アイデンティティ拡散：D、早期完了：F、モラトリアム：M、アイデンティティ達成：A

| ［例］<br>卒業５年後 | A<br>（M） | 自分の夢だった旅行会社に就職し、海外旅行のパックの企画を立てたり、実際に旅行の随行員として海外に行くことも多く、頑張っている。やりたいことがやれていると思っているけど、内容はきつく、賃金も低い。このまま続けられるのかな、結婚できるかなとも思い始めたところ。 |
|---|---|---|

上記の例は、自分の夢だった仕事につき、頑張っている状態を評価すると、アイデンティティ・ステイタスはAとなります。その後、仕事がきつく、賃金も低いと悩み始めている現状を捉えると、Mと考えることもできるでしょう。

(2)　将来を見据え、大学生活ではどのような力をつけたいと思っていますか。具体的な行動として、何をしようと思っていますか。あるいはしていますか。

(3)　書き終えたら、グループでお互いに将来についてどう考えているか、話し合ってみましょう。

(4)　グループのメンバーの話を聞いて、気づいたことや感じたことを書いてください。

# 学びを振り返る

## 学びの振り返りを書く

このテキストで学んだことを振り返ります。学びの振り返りの目的は、成績評価のためだけでなく、これからの大学生活や将来のキャリアに意味づけて考えることにあります。大切な締めくくりです。

この授業にどのような意識を持って臨んだか、充実感や達成感だけでなく、うまくいかなかったことや難しかったことや悩んだことなども含め、授業を振り返り、なぜそのように感じたのか、その根拠を分析します。体裁よく文章をまとめることや、空欄を埋めることに消耗するのではなく、学んだことを自分のことばでしっかり考え抜き表現してみましょう。書き終えたあとで、「自分はこれを学んだのだ」という確かな手ごたえを感じられるように書きましょう。

まず、本書の目的（p.i）を読んでください。次に、目次（pp.ii ～ iii）を見てください。これまで授業で行ってきたことが一覧できます。目次と自分のワークシートを照らし合わせながら、自分の学びを整理しましょう。

書き方としては、最も学んだと思う学習内容を１つ取り上げて論述する方法、複数取り上げて論述する方法、いずれの方法でもかまいません。

いきなり書き出すのではなく、このテキストで学んできた論理の組み立て方を活かし、構想を練ってから書き始めましょう。

**【Work 6】学びの振り返りを書く**（➡ p.143）

(1)　ワークシートを整理する

これまでのワークシートのすべてを確認し、チェックシートに、授業への出欠と欠席の理由、ワークシートの有無、レポートの有無などを記入しましょう。

(2)　学びの振り返りを執筆する

①授業での学習内容を具体的に書いてください。

②自分の学びや気づきを、根拠を示しながら、筋道立てて書くことが大切です。授業の概要や感想を羅列するのではなく、そこから何を考えたか、なぜそのように感じたのか、自分のことばで論理的に説明してください。論理的に伝えるためには p.24 を参考にするとよいでしょう。

③文字は、ていねいに濃く書いてください。

④パラグラフを明確に示してください。パラグラフの冒頭は、１文字分空けて書き出してください。パラグラフの論理的なつながりがわかるように、接続表現を用いるとよいでしょう。

⑤書き終えたら、次の２点を行ってください。

・キーワードを３つ選んで、題名の下に書いてください。

・題名をつけてください。題名は、「私の学び」というような抽象的なものではなく、内容の要約となる具体的なものを考えてください。見本レポートの題名（p.58）を参考にして考えてみましょう。キーワードとの整合性も大切です。

# 参考となる文献の紹介

大学での学び方を学ぶうえで参考となる指南書を紹介します。また、以下の書籍は、本書を執筆するにあたり、参考とした図書でもあります（各章、著者五十音順）。

## 第1章　学問の世界へようこそ

安西祐一郎（1985）『問題解決の心理学——人間の時代への発想』中公新書

人はいかに問題を解決するのかを認知心理学の知見によって明らかにし、問いを問い続ける人間のすばらしさを説いています。

長尾真（2001）『「わかる」とは何か』岩波新書

科学技術をわかりやすく説明することの大切さや、引用の形式を示せばいいというまやかしを鋭く諫めています。

日高敏隆（2013）『世界を、こんなふうに見てごらん』集英社文庫

生き物を観察し「なぜ」と問い続けた動物行動学者が綴る魅力のエッセイです。

## 第2章　論理的な考え方を学ぶ

川喜田二郎（1967）『発想法——創造性開発のために』中公新書

複雑多様なデータをどうまとめたらよいか、その考え方の基本と方法を説いています。

川喜田二郎（1970）『続・発想法——KJ法の展開と応用』中公新書

データを分類・分析するためのKJ法について多くの事例をもとに解

説しています。
沢田允茂（1976）『考え方の論理』講談社学術文庫
ものごとを理づめで考える世界が、実は、あたたかな夢を育てるには必要だとわかるでしょう。平易な論理学の入門書です。

## 第３章　レポートの書き方の基本を学ぶ

井下千以子（2019）『思考を鍛えるレポート・論文作成法　第３版』慶應義塾大学出版会
本書とセットで辞書のように使えば、さまざまなレポート課題、多様な専門分野に対応可能で、高く評価されるレポートが書くことができます。論文の読み方、定義の仕方、結論のフォーマット、見本レポート・論文も数例あり、卒業論文や修士論文にも役立ちます。
木下是雄（1994）『レポートの組み立て方』ちくま学芸文庫
主題文を書いてからレポートを組み立てるプロセスを段階的に学べます。レポートの書き方の基本となるバイブル。
M. J. Adler, C. V. Doren (1967) *How to Read A Book*, NY: Simon & Schuster, Inc.／外山滋比古・槇未知子訳（1997）『本を読む本』講談社学術文庫
読むに値する本とは何か。読書の意味とは何かを考えたい人にも、読書の技術を身につけたい人にも良い手引きとなります。わかりにくい訳語（たとえば、シントピカル読書など）があれば、原著を読むことをお勧めします。

## 第４章　学部での学びをプランニングする

絹川正吉編著（2002）『ICU〈リベラル・アーツ〉のすべて』東信堂
リベラル・アーツとは何かを、国際基督教大学（ICU）の50余年に渡る挑戦と深い実践から読み取ることができます。批判的思考を育成する授業、多様な実践的活動などを通して、責任ある創造的な生き方ができる人材を育成してきたことがわかります。

薄井坦子（1987）『看護の原点を求めて―よりよい看護への道』日本看護協会出版会
「人間がより健康的に生きることを援助する」、看護することの意味と喜びを、自らの体験から説得的に語りかける自伝的書。さらに科学的思考法も学びとることができる良書。看護職でない人にとっても、読みやすく、生きることの根源的な意味が心に響いてきます。

## 第５章　キャリアをデザインする

井下千以子（2012）「生涯発達心理学の視座から「キャリア」を考える――「考え抜く力」を育む授業デザイン」小田隆治・杉原真晃編著『学生主体型授業の冒険２――予測困難な時代に挑む大学教育』ナカニシヤ出版、132-145
就活の事例をどう考えたか、学生らのリアルな感想を読み取ることができます。

遠藤由美（2000）『青年の心理――ゆれ動く時代を生きる』サイエンス社
青年期の発達を体系的に、かつコンパクトに、わかりやすいトピックを盛り込みながら説いています。

太田聰一（2010）『若年者就業の経済学』日本経済新聞出版社

経済学の視点から日本の若年者雇用問題を豊富なデータをもとに論じています。

岡本裕子編著（2002）『アイデンティティ生涯発達論の射程』ミネルヴァ書房

アイデンティティ発達とキャリア形成、仕事の意味について女性研究者の視点で分析しています。

金井壽宏（2002）『働く人のためのキャリアデザイン』PHP 新書

人生の節目、節目でキャリアをデザインすることの大切さを説いています。

中間玲子（2014）「大人になるために」坂上裕子・山口智子・林創・中間玲子『問いからはじめる発達心理学』有斐閣ストゥディア、140-157

アイデンティティ発達とキャリア発達について、初めて心理学を学ぶ学生にもわかるように解説しています。

溝上慎一（2008）『自己形成の心理学――他者の森をかけ抜けて自己になる』世界思想社

自己は他者と出会い、複数の私の葛藤により形成されることを、最新の研究をもとに解説しています。

# あとがき

本書は『思考を鍛えるレポート・論文作成法』の姉妹本であり、大学における初年次教育の授業をテキスト化したものである。ねらいは、高校までの知識中心の学習から、多様な解のある学びへ視野を広げ、大学での学び方を習得させることにある。レポートの書き方のハウツーを学ぶだけでなく、自ら学問の扉を開き、広く深く学んでほしい。問いを立て論理的に筋道立てて考える力をつけていけるよう、さらには他者との関係性を通して自分とは何者かを深く問うていけるよう、具体的なワークとしてデザインした。

第2版で加筆したのは第4章である。まず、第1章では、大学で何を学ぶのか、学問とは何か、問いを立てる大切さを学ぶ。第2章では、自ら問いを立て研究するプロセスを体験することで、論理的に思考することを具体的に理解できるワークを課した。第3章では、初心者でもレポートが無理なく書けるようにワークを段階的に取り入れた。第4章では、大学4年間で何をどう学ぶのか、アカデミックプランニング・エッセイを書き、自立した学習者を目指す。第5章では、キャリアとは何か、アイデンティティ発達理論に学びながら、若者がリアルな感覚で自らを見つめ、将来を描くことができるよう、架空の事例を盛り込んだ。

第4章と第5章は、専門用語もあって少し難しいかもしれないと考えあぐねていたら、NHK 解説スタジアム「ゆたかな未来に向けて」で、解説委員らが次のようなやりとりをしているのを観た。

「大学は社会に役立つ人間を育てていないよね。入社後に一から育てなくちゃいけないわけだから」「それは学問というものを取り違えているよ。学問は明日役立つようなものじゃない。大学で学問と対峙した経験が考える力を育てる。それが卒業後も自ら道を切り開く力となるんだ」

私は心の中で「そうだあ」と拍手した。大学では少し難しいことも必要だ。学問なしのハウツーは大学教育ではないと確信した。

キャリアとは、人が生きていく道のりである。夢を追い求める人にとっては、苦労するだろうけれども必ず道が開かれるときは来る。一方で、常に課題や問題はあるだろう。問い続ける人にとっても、これでいいと思うことはないだろう。しかし、問題を解決する方法を学んだ人は苦労しながらも立ち上がり、前に進むことができる。本書ではその礎となる力をつけていけるよう、願いを込めた。

誰しも生きていく道のりは平坦ではない。山あり谷あり、ときには大きな壁にぶつかり、それをどう乗り越えていくのか、自分を試されるような出来事もあるだろう。そのようなつらい時に、自分を理解してくれる人や自分と同じ感覚を持つ人がそばにいて、苦しみや痛みをわかちあうことができたら、どんなにか勇気づけられるだろう。大学時代にも、仕事の場でも、そうした人とのつながりを大切にしてほしい。

初版では、慶應義塾大学出版会の喜多村直之さんに、第2版では奥田詠二さんに大変お世話になった。心から感謝申し上げたい。

また、本書の意義を理解し、支えてくれている家族に感謝したい。

2020年1月

この本で学んだことが人生の扉を開く力となっていくことを願って

著　者

＊本書第2版は文部科学省科学研究費補助金「高大接続に資する思考力・判断力・表現力育成のための教材開発に向けた国際連携研究」(18K02713) と、大学教育学会課題研究「学生の思考を鍛えるライティング教育の課題と展望」の成果の一部である。

井下　千以子（いのした ちいこ）

桜美林大学リベラルアーツ学群教授
慶應義塾大学大学院健康マネジメント研究科非常勤講師

日本女子大学大学院人間発達学専攻修了。学術博士。
京都大学大学院教育学研究科非常勤講師などを経て現職。
専門は、教育心理学、生涯発達心理学、大学教育研究。
大学教育学会奨励賞受賞。
主な業績：『思考を鍛えるレポート・論文作成法（第３版）』（慶應義塾大学出版会，2019）、『思考を鍛えるライティング教育――書く・読む・対話する・探究する力を育む』（編著，慶應義塾大学出版会，2022）、『大学における書く力考える力――認知心理学の知見をもとに』（東信堂，2008）、『思考を育てる看護記録教育――グループインタビューの分析をもとに』（共著，日本看護協会出版会，2004）、『高等教育における文章表現教育に関する研究――大学教養教育と看護基礎教育に向けて』（風間書房，2002）ほか。

思考を鍛える大学の学び入門［第２版］
――論理的な考え方・書き方からキャリアデザインまで

2017年4月28日　初版第１刷発行
2019年4月25日　初版第３刷発行
2020年1月30日　第２版第１刷発行
2023年5月24日　第２版第３刷発行

著　者――――井下千以子
発行者――――大野友寛
発行所――――慶應義塾大学出版会株式会社
〒108-8346　東京都港区三田2-19-30
TEL〔編集部〕03-3451-0931
〔営業部〕03-3451-3584〈ご注文〉
〃　03-3451-6926
FAX〔営業部〕03-3451-3122
振替00190-8-155497
https://www.keio-up.co.jp/
装　丁――――土屋　光
本文イラスト――わたなべふみ
組　版――――株式会社キャップス
印刷・製本―――中央精版印刷株式会社
カバー印刷―――株式会社太平印刷社


Printed in Japan　ISBN978-4-7664-2651-9

【Work 1】

年　月　日

| 学年 | 学部 | 学籍番号 | 名前 | グループ |
|---|---|---|---|---|
| | | | | |

①問いを立てて考える（➡p.5）

pp.2～7を読んで、問いを立て、理由を書こう。

②自己紹介・他己紹介（➡p.7）

〈振り返り〉

自己紹介してみて

他己紹介されてみて

他己紹介してみて

## 【Work 2.1】

年　月　日

| 学年 | 学部 | 学籍番号 | 名前 | グループ |
|---|---|---|---|---|
| | | | | |

**オリジナルな問いを考える（➡ p.15）**

pp.10 ～ 15 を読んで、学習の目的と方法を理解しよう。

自分で問いを３つ考えよう。

| 1. |
|---|
| 2. |
| 3. |

グループで、それぞれの案を出し合い、さらに３つの案に絞り、優先順位をつけよう。グループで話し合い、決定した問いに○印をつけよう。

| ○ | 順位 | |
|---|---|---|
| | | |
| | | |
| | | |

## 【Work 2.2】

年　月　日

**インタビューを行い、情報を集める（➡ p.16）**

1．p.20 を読んで、インタビューの手順と留意点を確認しよう。

2．自分のグループのテーマを記入しよう。

| |
|---|
| |

3．次のシートを用いて、インタビューを実施しよう。

4．ワークシートに記入しよう。インタビューした人数　　　人

インタビューした感想（振り返り）

感じたこと・気づいたこと・難しかったこと

| |
|---|
| |

「　　　　　　　　　　　　　　　　　」という授業で、
「自分たちの大学を知る」ことを目的として、インタビューを実施しています。回答は授業以外の目的には使いません。
よろしければ、次の質問に答えていただけますか。

回答は、**大きな文字**で書いてください。

**理由**も簡潔に書いてください。

学年、学部は、下の方に小さく書いてください。

1. 上記の空欄に問いを大きく書いて下さい。

・尊敬できる人は誰ですか。
・その理由も書いて下さい。

2. ポストイットをここに貼り、回答例を書いて下さい。

部活の先輩
辛抱強い
経済　2年

両親
深い愛情
看護　3年

【Work 2.3】　　　年　月　日

| 学年 | 学部 | 学籍番号 | 名前 | グループ |
| --- | --- | --- | --- | --- |
| | | | | |

情報を分類し、ポスターを作図する（おおよそのデザインでよい）(➡ p.19)

本日のワークで難しかったことや工夫したこと

本日のグループ活動で、自分が貢献したこと、頑張ったこと

【Work 2.4】　　　　年　月　日

| 学年 | 学部 | 学籍番号 | 名前 | グループ |
|---|---|---|---|---|
| | | | | |

**ポスターを完成し、文章化する**（➡p.22）

1．授業中にポスターが完成するように、メンバーで協力し合い、時間を見ながら計画的に作成しよう。

2．ポスターが完成したら調査した結果から、何がわかるのか、結論を２～３点にまとめよう。下欄を使って下書きしよう。

あなたの本日の主な役割

工夫したこと、頑張ったところ

難しかったこと、うまくいかなかったこと

ポスターを完成して時間に余裕のあるグループは Work 2.5 に進んで下さい。特に、Work 2.5 の最後の「KJ 法を用いて学んだこと」はしっかり書いてほしいので、いまから考えておきましょう。

【Work 2.5】 年　月　日

| 学年 | 学部 | 学籍番号 | 名前 | グループ |
|---|---|---|---|---|
| | | | | |

**発表会の準備、発表会、振り返り**（➡ p.23）

1．発表会のための準備を行おう。p.23 を読んでこれまでのワークを振り返り、発表内容について話し合う。自分の発表担当部分の番号と発表内容を話しことばで記入しよう。

（　　　）← 自分の担当部分の番号

2．全体のプレゼンが終わったら、自分のグループの評価できる点と反省点を書こう。

| 評価できる点 | |
|---|---|
| 反省点 | |

3．発表グループから2つのグループを選んで、評価できる点を簡潔に書こう。

| グループ名 | 評価できる点 |
|---|---|
| | |
| | |

**【重要】** KJ 法を用いた研究プロセスで学んだことを詳しく書こう（授業中にできなければ、次回までの宿題）。

| |
|---|
| |

【Work 3.1】

年　月　日

| 学年 | 学部 | 学籍番号 | 名前 | グループ |
| --- | --- | --- | --- | --- |
| | | | | |

作文を書く——作文とレポートの違い（➡ p.28）

題 名：

キーワード：

4～8人で読み合わせをし、「説得力のある意見」はどのような書き方をしているか、特徴をあげましょう。

| |
|---|
| |
| |
| |

さらに説得力を高めるためには何をおこなう必要があるでしょうか。

| |
|---|
| |
| |

作文と、大学での求められるレポートは何が違うと思いますか。空欄に書き入れてください。

| | 作文 | 大学で求められるレポート |
|---|---|---|
| 感想・意見 | 思うがまま心情を述べる | |
| 調べる・証拠 | 調べなくてもよい | |
| 形式 | 決まっていない | |
| 文体 | です・ます体／である体 | |

P.39を読み、書籍、新聞、論文を調べるデータベースを記入しましょう。

| | |
|---|---|
| 書籍 | |
| 新聞 | |
| 論文 | |

【Work 3.2】 年　月　日

| 学年 | 学部 | 学籍番号 | 名前 | グループ |
|---|---|---|---|---|
| | | | | |

**情報の検索と整理、批判的に検討するとは（1）　高校生の制服（➡ p.32）**

〔宿題〕自分で調べた内容を２点記入し、３点目は授業中にグループのメンバーで情報交換し、記入しよう。

| 何で | キーワード | 調べた情報の著者名、題名、書名または雑誌名、巻、ページ、要点を簡潔に記録しよう |
|---|---|---|
| | | |
| | | |
| | | |

グループで話し合い、共有しよう。

うまく情報検索できた人は、どんな工夫をしていたか。

| |
|---|
| |

大学でのレポートは、なぜ批判的に検討する必要があるのでしょうか。

| |
|---|
| |

グループで話し合い、記入してみよう。

| 高校は制服がある方がよい<br>制服を着用した方がよいとする根拠 | 高校は制服がない方がよい、<br>自由な服装がよいとする根拠 |
| --- | --- |
| | |
| 異なる意見の批判的検討<br>制服がないと～の問題がある | 異なる意見の批判的検討<br>制服があると～の問題がある |
| | |
| 制服を着用した方がよいとする場合の補足事項、条件<br>（～ということを考慮する必要がある） | 自由な服装がよいとする場合の補足事項、条件<br>（～ということを考慮する必要がある） |
| | |

【Work 3.3】　　　　　　　　　　　　　　　　　　　　　　　　年　　月　　日

| 学年 | 学部 | 学籍番号 | 名前 | グループ |
| --- | --- | --- | --- | --- |
| | | | | |

**情報の検索と整理、批判的に検討するとは (2)　小学生のケータイ・スマホ (➡p.45)**

〔宿題〕

| 何で | キーワード | 調べた情報の著者名、題名、書名または雑誌名、巻、ページ、要点を簡潔に記録しよう |
| --- | --- | --- |
| | | |
| | | |
| | | |

授業で、グループで話し合い、記入しよう。

| | メリット：利便性や機能性など | デメリット：危険性や問題点など |
| --- | --- | --- |
| 小学生 | | |
| 中学生 | | |

| 小中学生にケータイ・スマホを持たせる方がよいとする根拠 | 小中学生にケータイ・スマホを持たせない方がよいとする根拠 |
| --- | --- |
| | |
| 異なる意見の批判的検討<br>ケータイ・スマホを持たせないと～の問題がある | 異なる意見の批判的検討<br>ケータイ・スマホを持たせると～の問題がある |
| | |
| ケータイ・スマホを持たせる場合の補足事項、条件（～ということを考慮する必要がある） | ケータイ・スマホを持たせない場合の補足事項、条件（～ということを考慮する必要がある） |
| | |

【Work 3.4】　　年　月　日

| 学年 | 学部 | 学籍番号 | 名前 | グループ |
|---|---|---|---|---|
| | | | | |

**調べた情報をもとに、主題文を書き、レポートの論点を絞り込もう。**

自分の立場に☑しよう。　□ **肯定的立場**　□ **否定的立場**　□ **限定的立場**

① ------------------------------------------------ が問題となっている。

② ------------------------------------------------ べきだ（べきでない）。

③ 一方、------------------------------------------- という意見もあるが、

------------------------------------------------------------------。

④ ------------------------------------------------------------------

------------------------------------------------------- と主張する。

大学のレポート（論証型や検証型など）では、なぜ引用する必要があるのか

| |
|---|
| |

①直接引用：著者の述べた文章を［　　　　］引用し、その部分を［　　　］でくくる。

②間接引用：［　　　］は使わずに、本文の内容を［　　　　］して引用する。

【Work 3.4 の続き】

**調べた情報をもとに、「はじめに」を書き、レポートの構造を組み立てよう。**

仮の題名 ____________________________________________

キーワード： ____________________________________________

1．はじめに

①（近年、）____________________________________________について

____________________________________________が問題となっている。

②____________（________）によれば、____________________________________________

____________________________________________が明らかとなった。

____________（________）は、____________________________________________

____________________________________________と述べている。

____________（________）によると、____________________________________________

____________________________________________が明らかとなった。

③しかし、____________________________________________

____________________________________________については明らかにされていない。

④____________________________________________ではないか。

⑤そこで、このレポートでは、____________________________________________について

____________________________________________を検討することを目的とする。

引用文献

____________________________________________

____________________________________________

____________________________________________

【Work 4.1】 年　月　日

| 学年 | 学部 | 学籍番号 | 名前 | グループ |
|---|---|---|---|---|
| | | | | |

1．あなたの学部（学群）の理念や特徴は何かをホームページなどで調べ、2点あげてください。
まずは個人で2つ調べ、その後グループで1つ情報を共有し合って記入しましょう。

2．あなたにとって学部の何がどう魅力的なのか、魅力を引き出すキーワードや組み合わせ（たとえば、リベラルアーツ／魅力、グローバル人材／リーダー、看護職／やりがい）を工夫し、大学ホームページやデータベースで調べ、根拠を示し、学部の魅力を自分の言葉でまとめましょう。
まずは個人で2つ調べ、その後グループで1つ情報を共有し合って記入しましょう。

| 何で | キーワード | 調べた情報を簡潔に記録しよう |
|---|---|---|
| Google Scholar | リベラルアーツ<br>魅力 | 友野伸一郎（2011）「いま注目されるリベラルアーツ教育の新しい波」『大学タイムズ』vol. 2.<br>問題発見・解決型の授業、討議やフィールドワークが行われる。<br>物事を多角的に捉えられる人材は社会からの期待も熱い。 |
| 医中誌<br>J-STAGE | 看護職<br>やりがい | 大島和子・福島和代（2017）「看護大学生の職業志望動機とストレス」『心身健康科学』13(2), 61-21.<br>「看護職に興味がある」「やりがいがある」という志望動機を持つ学生はストレス対処力が高い可能性があるとわかった。 |
| | | |

| 何で | キーワード | 調べた情報を簡潔に記録しよう |
| --- | --- | --- |
| | | |
| | | |

調べた情報を根拠として示して、自分にとっての学部の魅力を箇条書きでまとめましょう。

3．1と2の回答をグループやクラスでも共有し、気づいたことや考えたことを書きましょう。

【Work 4.2】　年　月　日

| 学年 | 学部 | 学籍番号 | 名前 | グループ |
|---|---|---|---|---|
| | | | | |

| | |
|---|---|
| GOAL | |
| 4年次 | |
| 3年終了 | |
| 3年次 | |
| 2年終了 | |
| 2年次 | |
| 1年終了 | |
| 1年次 | |
| | |

自分の課題

【Work 4.3】

年　月　日

| 学年 | 学部 | 学籍番号 | 名前 | グループ |
| --- | --- | --- | --- | --- |
| | | | | |

図案

ポスター作成であなたが貢献したこと

【Work 4.4】　年　月　日

| 学年 | 学部 | 学籍番号 | 名前 | グループ |
|---|---|---|---|---|
| | | | | |

①１～５までの発表担当者を決め、話し合ったことをメモしましょう。

1. テーマ設定

2. KJ 法による情報の分類と内容の組み立て

３．ポスターの図案と作成

４．結論

５．グループワークの成果

自分の担当部分の番号を（　）に記入し、担当内容を発表用に話し言葉で書きましょう。

（　　　）

②優れたグループを２つ選び、評価できる点・発見・気づきを記入しましょう。

| | |
|---|---|
| | |
| | |

【Work 4.5】　　　　年　　月　　日

| 学年 | 学部 | 学籍番号 | 名前 | グループ |
|---|---|---|---|---|
| | | | | |

アカデミック・プランニングエッセイを書こう。

題名：

キーワード：

①

②

③

【Work 5.1】　　　　年　月　日

| 学年 | 学部 | 学籍番号 | 名前 | グループ |
|---|---|---|---|---|
| | | | | |

**①あなたは子ども？　それとも大人？（➡ p.86）**

p.86 を読み、いまのあなたの感覚に最も近いものを 1 つ選択し、その理由を書いてください。

選択した番号

理由

**②アイデンティティ・ステイタスの変容（➡ p.96）**

(1) pp.89 ～ 95 を読み、p.96 の表を参考に書いてください。

| A子さん | K太さん |
|---|---|
| | |

(2) p.96 の Work 5.1 (2)を読んで、自分の考えを書いてください。その後で、グループで意見交換しましょう。

【Work 5.2】　　　　年　月　日

| 学年 | 学部 | 学籍番号 | 名前 | グループ |
|---|---|---|---|---|
| | | | | |

**自分のアイデンティティ・ステイタスの分析**（➡ p.101）

pp.96 〜 100 を読み、以下のワークを行おう。p.101 の具体例を見て記入しよう。

| | | |
|---|---|---|
| 過去<br>中学・高校 | | |
| 現在<br>大学　年生 | | |
| 卒業時 | | |
| 卒業5年後 | | |

将来を見据え、大学生活ではどのような力をつけたいと思っていますか。具体的な行動として何をしようと思っていますか。あるいはしていますか。

| |
|---|
| |

【Work 3.5】 年　月　日

| 学年 | 学部 | 学籍番号 | 名前 | グループ |
|---|---|---|---|---|
| | | | | |

## 自己点検評価シートを使って評価しよう（➡p.59）

| | 評価項目／評価基準 | 3 | 2 | 1 | 0 |
|---|---|---|---|---|---|
| はじめに（序論） | **論点の提示、問題背景**<br>与えられたテーマから論点を見出し、問題背景を説明している | □<br>説得的な論点を見出し、問題の背景を的確に説明している | □<br>適切な論点を見出し、問題背景を説明している | □<br>論点や背景を示しているが説明不十分 | □<br>示していない |
| | **情報検索、資料の整理**<br>テーマに関連する資料を調べて整理し、論点に関する一連の見解を明らかにしている | □<br>信頼できる資料を網羅的に調べ、多様な見解を示している | □<br>適切に調べているが、資料が1、2点で若干少ない | □<br>情報検索がネットだけで資料が不十分 | □<br>示していない |
| | **資料の批判的検討**<br>資料の問題点を批判的に検討する | □<br>資料を引用し、批判的に検討している | □<br>批判しているが資料が十分でない | □<br>批判しているが、適切な内容でない | □<br>示していない |
| | **問いを立てる**<br>問い（仮説）を立て、問題点を指摘する | □<br>資料を検討したうえで、具体的な問いを立てている | □<br>問いを立てているものの、資料の裏づけが十分ではない | □<br>問いを示しているが、資料を検討せず、唐突である | □<br>示していない |
| | **目的の明示**<br>問いにそった目的を明示している | □<br>明確に目的を示し、問いとの整合性も明確である | □<br>目的を述べているが、問いとの整合性が弱い | □<br>目的と問いとの関連づけが不十分 | □<br>示していない |
| （本論） | **主張の裏づけ**<br>自分の意見を信頼できる証拠を裏づけとし、主張している | □<br>信頼できる証拠をもとに、自分の意見を明確に主張している | □<br>自分の意見を主張しているが、裏づけが弱い | □<br>証拠資料が不十分で主張が曖昧である | □<br>示していない |
| | **異なる主張の批判**<br>自分と異なる主帳を批判的に検討し、裏づける証拠を示している | □<br>異なる意見を、信頼できる証拠をあげて明確に批判している | □<br>異なる意見を批判しているが裏づけが十分でない | □<br>自分の意見との違いが明確ではない | □<br>示していない |
| | **主張の限界と補足**<br>自分の主張の限界を示し代案（具体案）や補足を述べている | □<br>自分の主張の限界を示し補完するための具体案を述べている | □<br>主張の限界を示し代案を述べているが、具体性に欠く | □<br>主張の限界を示しているが代案がない | □<br>示していない |
| おわりに（結論） | **目的と結論**<br>レポートの目的を述べ、結論に至る経緯を明確にまとめている | □<br>目的を要約し、結論に至るまでを明確にまとめている | □<br>簡略的であるが、目的を説明して、結論を述べている | □<br>結論だけで、目的などの説明がない | □<br>示していない |
| | **成果と今後の課題**<br>レポートの成果を評価したうえで、今後の課題を明確に示している | □<br>成果を踏まえたうえで、今後の課題を明確に示している | □<br>成果と今後の課題を述べているが、やや具体性に欠く | □<br>成果の評価も今後の課題も曖昧である | □<br>示していない |

1．ペアを組み、まず、レポートの題名と執筆者名を記入してください。
2．評価者はレポートを読んで、評価項目ごとに、あてはまる評価基準に、☑をつけてください。
3．評価者は、優れている点、改善を要する点を具体例をあげて文章で記述してください。
4．グループに分かれ、各々の要点を発表してください。評価者は相手の優れている点についてコメントしてください。

<table>
<tr><th></th><th>評価項目／評価基準</th><th>3</th><th>2</th><th>1</th><th>0</th></tr>
<tr><td rowspan="7">形式／表現</td><td rowspan="2">題名<br>主題、目的、方法などのキーワードで構成された要約となっている</td><td rowspan="2">□<br>レポート内容の的確な要約となっており、表現も説得力があり、わかりやすい</td><td rowspan="2">□<br>内容との整合性はあるが、説明不足のため表現に工夫が必要</td><td rowspan="2">□<br>内容やキーワードとの整合性がない</td><td rowspan="2">□<br>示していない</td></tr>
<tr></tr>
<tr><td rowspan="2">見出し<br>内容が的確で、論理の階層構造がわかる章や節立てとなっている</td><td rowspan="2">□<br>論理の流れが読める。明確な内容かつ階層的な見出しとなっている</td><td rowspan="2">□<br>内容を表す見出しだが、レポート全体で見ると論理性に乏しい</td><td>□<br>内容の説明が不十分</td><td>□<br>示していない</td></tr>
<tr><td colspan="2">アウトラインの見直しが必要</td></tr>
<tr><td>パラグラフ<br>冒頭で１文字空ける。接続表現を用いて連結を図る</td><td>□<br>適切な接続表現を用いて、パラグラフ内もパラグラフ間も連結している</td><td>□<br>パラグラフの形式はできているが、接続表現の使い方が不十分</td><td>□<br>冒頭で１文字空けるルールができていない</td><td>□<br>示していない</td></tr>
<tr><td>引用の仕方<br>執筆者名字と出版年およびページ番号を明確に示している</td><td>□<br>引用の形式を踏み文脈の中で適切な解釈を述べている</td><td>□<br>形式はできているが文脈での解釈が適切でない</td><td>□<br>形式も解釈も不明瞭</td><td>□<br>示していない</td></tr>
<tr><td>引用文献リスト</td><td>□<br>正しいルールで統一されている</td><td>□<br>ほぼ正しいルール、一部不正確</td><td>□<br>ルールと異なり不正確</td><td>□<br>示していない</td></tr>
<tr><td></td><td>正しい文法の文<br>わかりやすい文章</td><td>□<br>正しい文法で、明確な文章でわかりやすい</td><td>□<br>である体でほぼ統一されている</td><td>□<br>ですます体とである体が混在</td><td>□<br>話し言葉が混在</td></tr>
</table>

レポートの題名

| |
|---|
| |

レポート執筆者名

| 学年 | | 学部 | | |
|---|---|---|---|---|

評価者名

| 学年 | | 学部 | | |
|---|---|---|---|---|

優れているところ

| |
|---|
| |

改善を要するところ

| |
|---|
| |

【Work 3.5 の続き】

年　月　日

| 学年 | 学部 | 学籍番号 | 名前 | グループ |
| --- | --- | --- | --- | --- |
| | | | | |

論証型レポートの評価と発表

| 自分でレポートを書き、難しかったところ、自分のレポートで評価できる点 |
| --- |
| |

| よく書けている人（発表者） | コメントする人 |
| --- | --- |
| | |

| 発表者を選んだ理由 |
| --- |
| |

説得力のポイント

| 1． |
| --- |
| 2． |
| 3． |

【Work 6】　　　　年　　月　　日

| 学年 | 学部 | 学籍番号 | 名前 | グループ |
|---|---|---|---|---|
| | | | | |

学びレポートを書く（➡p.105）

題 名：

キーワード：